NIVEAU
A1

ÉDITO

Cahier d'activités

Marie-Pierre Baylocq Sassoubre
Stéphanie Brémaud
Stefano Campopiano
Clara Cheilan
Erwan Dambrine
Cécile Pinson

didier

SOMMAIRE

ET VOUS ?

 **Grammaire**

[LES ADJECTIFS DE NATIONALITÉ] p. 21

1 Écoutez et complétez les phrases.

cd 2

Exemple : *Pedro est mexic*............ → *Pedro est mexicain.*

a. Karim est algér........... .

b. Abdou est sénégal........... .

c. Danaé est gre........... .

d. Jens est suéd........... .

e. Lorenz est allem........... .

f. Pierre est franç........... .

[LES ADJECTIFS DE NATIONALITÉ] p. 21

2 Complétez le tableau.

🇺🇸	améric**ain**	améric**aine**
	ital.*ien*	ital.*ienne*
	espagn.*ol*	espagn.*ole*
	belg*e*	belg...........
	chin.*ois*	chin.*oisse*
	sénégal.*ais*	sénégal.*aisse*

[LES ARTICLES DÉFINIS] p. 22

3 Classez les pays dans le tableau : *France* – *Portugal* – *Russie* – *Mali* – *États-Unis* – *Inde* – *Côte d'Ivoire* – *Corée du Sud* – *Australie* – *Maroc* – *Pays-Bas* – *Comores* – *Irlande.*

Le	La	Les	L'
	France		

[LES ARTICLES DÉFINIS] p. 22

4 **Complétez les phrases avec *le, la, les* ou *l'*.**

a. Léonard habite à Paris. Il aime .... France, ... peinture et .... cinéma.

b. Stefano est italien. Il aime .... Italie, ... musique et .... athlétisme.

c. Silvia est turque. Elle aime .... danse et .... escalade.

d. Jan habite à Munich. Il aime .... Allemagne, ... boxe et .... basket.

e. Jude est anglais. Il aime .... films américains et .... tennis.

Communication

[DEMANDER DE SE PRÉSENTER, SE PRÉSENTER] p. 21

Écoutez et complétez le dialogue. cd 3

Julien : Bonjour !

Nadine : .... !

Julien : Je .... Julien, et toi, comment tu .... ?

Nadine : Moi, ... Nadine !

Julien : Tu es française ?

Nadine : Non, je suis .... et toi ?

Julien : Moi, je suis français.

Nadine : Tu as quel .... ?

Julien : J'ai 34 .... et toi ?

Nadine : .... 32 ans.

Vocabulaire

[LES LOISIRS] p. 23

1 Trouvez les loisirs.

a. La _lecture_

b. Le _tennis_

c. La _danse_

d. La _peinture_

e. L' _athlétisme_

f. Le _cinéma_
CLo

[LES NOMBRES (1)] p. 23

2 Écoutez et écrivez les nombres. cd 4

a. 23 – .... – .... – .... et ....

b. .... – .... – .... – .... et ....

c. .... – .... – .... – .... et ....

d. .... – .... – .... – .... et ....

Grammaire

[LES PRÉPOSITIONS DEVANT LES NOMS DE VILLES ET DE PAYS] p. 27

1 Complétez les phrases.

Exemple : *J'habite* .... *Pérou,* .... *Lima.* → *J'habite* **au** *Pérou,* **à** *Lima.*

a. Je suis né .... Maroc, ... Tanger.

b. J'habite .... Allemagne, ... Berlin.

c. Pierre est né .... Paris, ... France.

d. Clara habite .... États-Unis, ... New York.

e. Yan est né .... Chine, ... Pékin.

[LES PRÉPOSITIONS DEVANT LES NOMS DE VILLES ET DE PAYS] p. 27

2 Mettez les mots dans l'ordre pour former des phrases.

Exemple : *habite / en / Madrid, / Espagne. / J' / à* → *J'habite à Madrid, en Espagne.*

a. Je / à / Buenos Aires, / né / Argentine. / suis / en

Je ne suis à Buenos Aires en Argentine

b. est / habite / elle / Sarah / hongroise, / Budapest. / à   *à before city*

Sarah est hongroise, elle habite à Budapest.

c. Nina / habite / Portugal. / Lisbonne, / au / à

Nina habite à Lisbonne (à) au Portugal

d. habite / Johannesbourg, / en / Afrique du Sud. / Lionel / à

Lionel habite à Johannesbourg en Afrique du Sud.

e. Nibs / anglais. / à / né / est / est / Londres, / il

Nibs né est à Londres, il est anglais.

[ÊTRE, AVOIR, S'APPELER] p. 21

3 Conjuguez les verbes.

Exemple : *Marie* **est** *française.*

a. Pierre (avoir) .... a .... 35 ans.

b. Tu (s'appeler) .... t'appelles .... Franck ?

c. Léonie (être) .... est .... née en Australie.
(Australi)

d. Paul et Victoria (être) .... sont .... espagnols.

e. Il (s'appeler) .... s'appele .... Christophe.

[LA NÉGATION] p. 28

4 Observez les images et écrivez des phrases affirmatives et négatives.

Exemple : *(je parle)* → *Je parle espagnol. / Je ne parle pas espagnol.*

(j'habite) → ....

(je parle) → ....

(je suis) → ....

(j'aime) → ....

[LA NÉGATION] p. 28

5 Répondez aux questions et utilisez la forme négative.

Exemple : *Tu aimes le rugby ?* → *Non,* **je n'aime pas le rugby**.

a. Elle s'appelle Sarah ? → Non, *elle ne s'appelle pas Sarah.*

b. Noé aime la natation ? → Non, *Noé n'aime pas la natation.*

c. Tu aimes la musique québécoise ? → Non, *je n'aime pas la musique québécoise.*

d. Clara vit en Roumanie ? → Non, *Clara ne vit pas en Roumanie (Romany)*

e. Est-ce que Sophie parle allemand ? → Non, *Sophie ne parle pas Allemand.*

f. Pierre a 32 ans ? → Non, *Pierre n'a pas 32 ans.*

Communication

[DEMANDER ET DONNER DES COORDONNÉES] p. 28

Complétez les SMS.

Salut Pierre !

Salut Arnaud !

Ton ...., c'est quoi ?

C'est pierre.u@webmail.fr

Merci !

Au fait, tu as mon .... espagnol ?

Non, ton .... c'est quoi ?

C'est le 03-35-48-20-42

Et l'.................................?

C'est le +34 !

A à z Vocabulaire

[L'IDENTITÉ] p. 29

1 Associez les éléments des deux colonnes.

a. Nom   **1.** 07 52 50 46 78

b. Adresse mail   **2.** Charlotte

c. Indicatif pays   **3.** charlotte.balmas@webmail.com

d. Prénom   **4.** 27 octobre 1986

e. Numéro de téléphone   **5.** Balmas

f. Nationalité   **6.** +33

g. Date de naissance   **7.** Nice

h. Lieu de naissance   **8.** française

[LES PAYS ET LES NATIONALITÉS] p. 29

2 Complétez les phrases.

Exemple : *Pierre habite au .... , il est canadien.*
→ *Pierre habite au **Canada**, il est canadien.*

a. Juan habite en ....*Espagne*........ , il est espagnol.

b. Fatoumata est née au Mali, elle est ....*malienne*........ .

c. Maria est ....*Argentine*........ , elle habite en Argentine.

d. Nasser est né au ....*Niger*........ , il est nigérien.

nigérien

if from Nigeria
(nigeriyaan)

e. Nathalie habite au Vietnam, elle est ....*vietnamienne*........ .

f. Iga est ....~~Pologne~~........ , elle est née en Pologne.
Polonaise

[LES NOMBRES (2)] p. 29

3 Écrivez les nombres en lettres.

Exemple : *100 → cent*

a. 88 → ....

e. 83 → ....

b. 99 → ....

f. 71 → ....

c. 76 → ....

g. 96 → ....

d. 92 → ....

h. 77 → ....

Phonétique

[PRONONCER UNE PHRASE SIMPLE] p. 24

1 Associez les éléments et prononcez les phrases. Puis écoutez pour vérifier.

cd
5

Exemple : *Je suis français.*

a. J'aime •

b. Je m'appelle •

c. J'ai •

d. Je suis •

• **1.** français.
• **2.** le tennis.
• **3.** la lecture.
• **4.** Arthur.
• **5.** Arthur Bonnet.
• **6.** vingt-cinq ans.

[LES GROUPES RYTHMIQUES ET L'ACCENT TONIQUE] p. 30

2 **Lisez et marquez les groupes rythmiques avec « / ». Puis écoutez pour vérifier.**
Exemple : *Je m'appelle Lounis, / je suis libanais, / j'ai 26 ans. /*

a. Paola est italienne, Macha est russe, John est anglais.

b. Nicolas a quarante ans, Antoine a huit ans.

c. Philippe a quarante-huit ans.

d. Bonjour les amis, vous allez bien ?

e. Il aime le sport et la lecture.

[LES GROUPES RYTHMIQUES ET L'ACCENT TONIQUE] p. 30

3 **Écoutez et soulignez l'accent tonique.**
Exemple : *Oscar est un en**fant**, il aime le TG**V**.*

a. Voici Albert, voici Robert, voici Danièle.

b. Paul a vingt ans, Lili a vingt-trois ans.

c. Pierre est allemand, Jeanne est anglaise.

d. Il s'appelle Jacques, Jacques Bonnemaison.

e. J'aime la natation, le tennis, le cinéma.

 Compréhension orale

Qui est Nina ?

Écoutez le dialogue et répondez aux questions.

1 Nina est : ○ française. ○ espagnole. ○ suisse.
2 Thomas est : ○ français. ○ suédois. ○ belge.
3 Ils sont : ○ à Paris. ○ à Berne. ○ à Genève.

4 **Réécoutez le dialogue et complétez la fiche d'identité de Nina.**

Nina ....
Nationalité : ....
Lieu de naissance : ....
Ville : ....
Téléphone : ....
Adresse mail : ....

Production orale

[JEUX DE RÔLE]

À deux. Choisissez la fiche A ou B. Posez des questions à votre voisin(e) sur son identité et complétez la fiche.

Apprenant A

FICHE PROFIL A

Nom : Koeppel

Prénom : Guy

Nationalité : allemande

Lieu de naissance : Berlin

Date de naissance : 14/01/1978

Mail : guy.kl@simail.com

FICHE PROFIL B

Nom : ....

Prénom : ....

Nationalité : ....

Lieu de naissance : ....

Date de naissance : ....

Mail : ....

Apprenant B

FICHE PROFIL B

Nom : Grandin

Prénom : Jennifer

Nationalité : française

Lieu de naissance : Paris

Date de naissance : 18/11/1987

Mail : jenjen75@yooha.fr

FICHE PROFIL A

Nom : ....

Prénom : ....

Nationalité : ....

Lieu de naissance : ....

Date de naissance : ....

Mail : ....

Préparation au DELF A1 **Compréhension des écrits**

[STRATÉGIES] p. 46

Lisez le mail et répondez aux questions.

De : anne.gayot@gmx.net
À : petra.meyer@gmx.net
Cc : mireille@yaha.be
Objet : Mireille

Bonjour Petra !

Je te présente mon amie : elle s'appelle Mireille. Elle habite à Bruxelles, elle
est belge, elle a 65 ans. Elle est journaliste. Elle aime la lecture, le cinéma,
la musique, le sport et la nature. Pour parler avec elle, c'est facile : elle parle
français, néerlandais et anglais.
Le numéro de téléphone portable de Mireille, c'est le 04 94 08 55 31.
Bisous.
Anne

1 Anne envoie un mail à Petra pour :

O se présenter.

O présenter une personne célèbre.

Ⓞ présenter une amie.

2 Où habite Mireille ? ....Bruxelles........ (expruouvre rel)

3 Quelle est la nationalité de Mireille ?

O française   O camerounaise   Ⓞ belge

4 Quelle est la profession de Mireille ?

O Elle est chanteuse.   Ⓞ Elle est journaliste.   O Elle est professeur.

5 Anne donne :

O l'adresse mail de Mireille.

Ⓞ le numéro de téléphone portable de Mireille.

O le numéro de téléphone fixe de Mireille.

unité 2

ON VA OÙ ?

Grammaire

[LES ARTICLES DÉFINIS ET INDÉFINIS] p. 35

1 Écoutez et cochez l'article entendu. cd 9

	a.	b.	c.	d.	e.	f.
un				✓		
une	✓					
des			✓			
le						
la		✓			✓	
l'						
les						✓

[LES ARTICLES DÉFINIS ET INDÉFINIS] p. 35

2 Entourez le bon article.

Exemple : *Vous connaissez (une / l') adresse de Julie ?*

a. Ici, c'est (un / le) jardin Renoir.

b. (Des / Les) quartiers Odéon et Saint-Michel sont touristiques.

c. Je visite (une / l') église Sainte-Marie.

d. Il y a (un / le) musée d'art moderne à Nantes ?

e. J'arrive à (une / la) place Victor Hugo.

f. Est-ce qu'il y a (une / la) tour ici ?

[LES VERBES EN -*ER* AU PRÉSENT] p. 36

3 Reliez pour former des phrases.

a. Guillaume

b. Anaïs et Amandine

c. Tu

d. Nous

e. Je

f. Vous

1. regardes le guide.

2. parle hongrois.

3. racontent l'histoire de la ville.

4. arrivons à la gare.

5. tournez à droite.

6. passe devant la place.

[LES VERBES EN -*ER* AU PRÉSENT] p. 36

4 **Conjuguez les verbes au présent.**

a. Tu (continuer) *continues* tout droit.

b. Elles (habiter) *habitent* à Nantes.

c. Vous (visiter) *visitez* souvent la France ?

d. Ils (parler) *parlent* beaucoup de langues ?

e. Je (traverser) *traverse* la rue.

f. Nous (chercher) *cherchons* l'avenue de la Glacière.

 Communication

[DEMANDER/INDIQUER LE CHEMIN] p. 36

Écoutez et associez les éléments des deux colonnes.
Réécoutez et tracez l'itinéraire sur le plan. cd 10

a. Vous marchez

b. Vous tournez

c. Vous traversez

d. Vous allez

e. Vous arrivez

f. C'est ici,

1. tout droit dans la rue de France.

2. au boulevard Lavoisier.

3. la place Marie Curie.

4. à gauche dans la rue de l'Épeautre.

5. pendant 50 mètres. *pendant*

6. à droite de la boulangerie.

A à z Vocabulaire

[LA VILLE] p. 37

1 Observez l'image et ~~retrouvez~~ *find* les lieux.

a.  : *le Restaurant*

d. : *le' musee*

b. : *la Banque*

e. : *La Poste*

c. : *la Bibliotheque*

f. : *le theatre*
(te - aatr)

[LA VILLE] p. 37

2 Écoutez et complétez le texte. **cd 11**

Emma est là, elle sort *go out* du .... *cinema* .... Elle marche vers *towards:* .... *le parc* .... ,
ah non, elle tourne à gauche, elle rentre *enters* dans .... *la poste* .... Elle reste
10 minutes. Elle sort. Elle prend .... *la rue* .... de Bel Air. Elle achète du pain *buy bread* à
.... *la boulangerie* .... *(bakery)* . Elle continue tout droit. Elle s'arrête *stop* devant .... *le musee* ....

15

Grammaire

[L'ADJECTIF INTERROGATIF *QUEL*] p. 41

cd
12

1 Écoutez et complétez les dialogues avec *quel*, *quelle*, *quels* ou *quelles*.

Dialogue 1

– Paulo, tu es étudiant, ton université est dans ..... *quel* ..... quartier ?

– La Sorbonne.

– ..... *Quelle* ..... bus tu prends ?

– Le 23.

Dialogue 2

– Denis, dans ..... *quelle* ..... ville tu travailles ?

– À Angers.

– ..... *Quels* ..... transports est-ce que tu utilises ?

– La voiture, c'est plus simple.

Dialogue 3

– Antoine, vous descendez à ..... *quelles* ..... stations de métro ?

– En général, celles de Denfert-Rochereau et de Saint-Michel.

– C'est sur ..... *quelle* ..... ligne de métro ?

– La ligne 4.

[L'ADJECTIF INTERROGATIF *QUEL*] p. 41

2 Écrivez des questions à partir des éléments suivants. Utilisez *quel*, *quelle*, *quels* ou *quelles*.

Exemple : *Tu prends / ligne de métro* → *Tu prends **quelle** ligne de métro ?*

a. Tu habites / quartier → *Tu habites quelle*

b. Vous cherchez / station → *Vous cherchez quelle*

c. Je descends à / arrêt → *Quel*

d. Nous allons à / adresse → *Quelle*

e. Elles tournent dans / rues → *Quelles*

f. Il prend / transports → *Quels*

[LE MASCULIN ET LE FÉMININ DES PROFESSIONS] p. 42

3 Écoutez : masculin, féminin ou les deux ? Cochez. cd 13

	a.	b.	c.	d.	e.	f.
Masculin		✗		✗		✗
Féminin	✗		✗		✗	✗

[LE MASCULIN ET LE FÉMININ DES PROFESSIONS] p. 42

4 Soulignez la proposition correcte.

a. Maïté est (informaticien / informaticienne).
b. Yan est (infirmier / infirmière).
c. Henry est (professeur / professeure).
d. Nathalie est (animateur / animatrice).
e. Lucas est (serveur / serveuse).
f. Adeline est (coiffeur / coiffeuse).

Communication

[INDIQUER LE CHEMIN] p. 36 , [SE DÉPLACER EN MÉTRO OU EN BUS] p. 40

Remettez l'itinéraire dans l'ordre.

Départ : Vieux-Centre → Destination : Aéroport

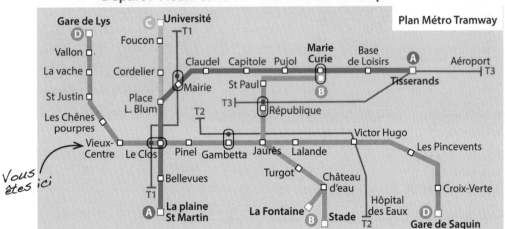

a. Tu descends à la station République.

b. Tu prends la ligne D, direction gare de Saquin.

c. Tu prends le tramway 3 jusqu'à l'aéroport.

d. Tu prends la ligne B.

e. Tu changes à la station Jaurès.

1	2	3	4	5
b	e	d	a	c

Aàz Vocabulaire

[LES PROFESSIONS] p. 43

1 Associez les professions aux images.

Exemple :

1. Ingénieur(e)   **2.** Musicien(ne)   **3.** Infirmier(ère)   **4.** Informaticien(ne)
5. Photographe   **6.** Journaliste   **7.** Avocat(e)

[LES TRANSPORTS] p. 43

2 Remplacez les images par les moyens de transport.

Mes amis prennent souvent _train_ pour aller à Marseille mais ils préfèrent
✈ _l'avion_ for (because) car c'est plus rapide. Dans la ville, ils utilisent 🚌 _la bus_ .
Ils aiment utiliser 🚲 _vélo_ pour se promener et vont 🚶 _à pied_ au
travail. Ils n'aiment pas voyager en _auto_ .

[LES TRANSPORTS] p. 43

3 Vous habitez à Angers, quel moyen de transport vous utilisez pour aller dans les lieux suivants ? Complétez (plusieurs réponses possibles).

Angers / Madrid	1 100 km
Angers / Paris	300 km
Angers / Nantes	100 km
Rue Lavoisier	2 km
Chez mon voisin	500 mètres

a. Pour aller à Paris, je prends *en auto / en train* ....

b. Pour aller à Madrid, *l'avion* ....

c. Pour aller à Nantes, *auto / le train* ....

d. Pour aller rue Lavoisier, *en velo* ....

e. Je vais *a pied* .... chez mon voisin.

Phonétique

[L'INTONATION MONTANTE ET DESCENDANTE] p. 38

1 Écoutez : l'intonation est montante (↗) ou descendante (↘) ? Cochez. cd 14

	a.	b.	c.	d.	e.	f.
↗	X					
↘						

[LA PRONONCIATION DES VERBES EN *-ER* AU PRÉSENT] p. 44

2 La prononciation du verbe est identique (=) ou différente (≠) ? Cochez. cd 15

	a.	b.	c.	d.	e.	f.
=						
≠	X					

[LA PRONONCIATION DES VERBES EN *-ER* AU PRÉSENT] p. 44

3 Lisez les phrases à voix haute. Écoutez pour vérifier votre prononciation.

a. Tu demandes et nous indiquons.
b. Il parle et ils parlent.
c. Je pense et vous mangez.

d. Je cherche et tu tournes.
e. Tu racontes et vous préparez.
f. Ils tournent et nous passons.

 ## Compréhension écrite

Lisez le texte et répondez aux questions.

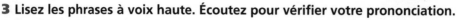

www.forum-ville.fr
Participez au grand forum de la ville ! *Quel est votre lieu préféré dans la ville ?*

 Bonjour, moi, c'est Gaëlle, je suis pharmacienne et mon lieu préféré dans la ville, c'est le jardin des Plantes.

 Salut, je suis Paulo, je suis musicien. J'adore le théâtre de la Ville, il est magnifique.

 Bonjour, je m'appelle Lorette, je suis coiffeuse, j'aime le quartier de la Tour avec la place Paul Valéry.

 Bonjour, je suis Robert, je suis facteur. J'aime prendre le vélo pour travailler et traverser le centre historique. Il y a des monuments magnifiques. Mon lieu préféré, c'est le musée d'art contemporain.

1 Ce document est :

○ un article de presse.   ○ un site internet.   ○ une carte postale.

2 Le texte parle :

○ des transports.   ○ des logements.   ○ des lieux préférés.

3 Quelles sont les professions de :

Gaëlle ? ....

Paulo ? ....

Lorette ? ....

Robert ? ....

4 Quel est le lieu préféré de :

Gaëlle ? ....

Paulo ? ....

Lorette ? ....

Robert ? ....

5 Quel transport Robert utilise pour travailler ?

....

6 Robert aime traverser quel quartier ?

....

Production écrite

Votre ami irlandais arrive à la gare, vous lui envoyez un SMS : vous lui expliquez quel chemin prendre à pied pour arriver chez vous. Vous habitez 12, rue du Roi René. (40 à 60 mots)

Pour aller à – Tu prends – Tu descends – Tu tournes

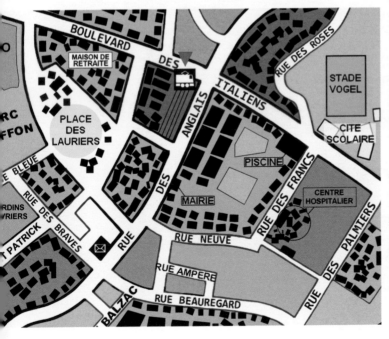

Détente

1 Placez dans la grille les mots suivants :

- boulevard
- carrefour
- pont
- quai
- bibliothèque
- mairie
- quartier
- théâtre
- tour

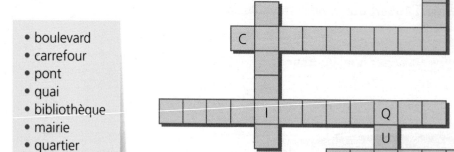

2 Devinettes : trouvez de quoi on parle.

a. C'est un lieu d'exposition de tableaux. 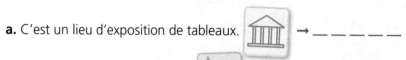 → _ _ _ _ _ _

b. C'est un espace public ouvert. → _ _ _ _ _

c. C'est une petite voie de circulation. → _ _ _ _

d. C'est une grande église. → _ _ _ _ _ _ _ _ _ _

e. C'est un lieu pour apprendre.  → _ _ _ _ _ _

QU'EST-CE QU'ON MANGE ?

 **Grammaire**

[LE SINGULIER ET LE PLURIEL DES NOMS] 📖 p. 49

1 Singulier ou pluriel ? Écoutez la liste des courses. cd 17
Cochez et complétez le tableau.

	Singulier	Pluriel	Courses :
a.		X	– **Deux** baguette**s**
b.			– .... poivron_
c.			– .... carotte_
d.			– .... salade_
e.			– .... citron_
f.			– .... fraise_
g.			– .... tomate_

[LE SINGULIER ET LE PLURIEL DES NOMS] 📖 p. 49

2 Complétez les phrases avec les aliments.

Exemple : *Je mange* ***deux croissants****.*

a. Combien coûte .... ?

b. .... s'il vous plaît !

c. Vous avez .... ?

d. Je paie ....

e. Est-ce que vous avez .... ?

f. Je voudrais .... s'il vous plaît.

[LES PRÉPOSITIONS DE LIEU (1)] p. 50

3 Complétez les phrases avec *à la, à l', au, aux* et *chez le*.

Exemple : *Kinan va **à la** pâtisserie.*

a. Je vais .... poissonnier.

b. Lætitia est .... boulangerie.

c. Sonia et Franck vont .... boucherie.

d. Mehdi est .... supermarché.

e. Tu es .... entrée du magasin ?

f. Samy paye .... caisses.

Communication

[DONNER DES HORAIRES D'OUVERTURE] p. 48

1 Écrivez les horaires d'ouverture.

Le restaurant « Aux petits oignons »

Exemple : *Le restaurant Aux petits oignons ouvre de 11 h à 23 h en semaine. Le samedi, c'est ouvert de 11 h à 1 h du matin.*

a. La boulangerie « Le fournil »

....
....

b. La boucherie « Collado »

....
....

c. Le primeur « Le potager »

....
....

d. La poissonnerie « Pons et fils »

....
....

[FAIRE DES COURSES] p. 49

2 Qui dit quoi ? Écoutez le dialogue et cochez la bonne réponse.

cd
18

	Le vendeur	La cliente
a. Je voudrais deux poireaux.	○	●
b. Combien coûte une barquette de fraises ?	○	○
c. Un kilo de tomates.	○	○
d. C'est à qui ?	○	○
e. Est-ce que vous avez des poivrons ?	○	○
f. Vous payez comment ?	○	○
g. Ce sera tout.	○	○

Aàz **Vocabulaire**

[LES MAGASINS, LA NOURRITURE] p. 51

1 Reliez les éléments des deux colonnes.

a. les carottes ●   ● **1.** la boulangerie
b. le camembert ●   ● **2.** la poissonnerie
c. les fruits de mer ●   ● **3.** le primeur
d. la viande ●   ● **4.** la fromagerie
e. la baguette ●   ● **5.** la boucherie
f. la crème ●

[LES MAGASINS, LA NOURRITURE] p. 51

2 Associez la quantité à un ou plusieurs aliments.

a. Une bouteille d'...

b. Une part de...

c. Un kilo de...

d. Un morceau de...

e. Un litre de...

Grammaire

[LA QUANTITÉ NON DÉFINIE] p. 55

1 **Observez les images et complétez les ingrédients de la tarte aux pommes.**

Les ingrédients de la tarte aux pommes
Exemple : ***du** beurre*

a. ....

b. ....

c. ....

d. ....

e. ....

[LA QUANTITÉ NON DÉFINIE] p. 55

2 **Avec quoi Yann, Nico... prennent leur café ? Complétez le tableau.**

	Lait	Sucre	Un peu (+), beaucoup (+++) ou pas (–) ?
Yann	+++	+	Beaucoup de lait et un peu de sucre.
Nico	–	+++	....
Sandrine	–	+	....
Cécile	+	–	....
Sandra	+++	+++	....
Et vous ?	....	.....	....

[LE PRONOM *EN*] p. 56

3 **Transformez les phrases, remplacez les mots soulignés par *en*.**
Exemple : *Joseph ne mange pas <u>de fruits de mer</u>.* → *Joseph n'**en** mange pas.*

a. Marie a <u>des enfants</u>. → ....

b. Suzanne mange <u>des gâteaux</u>. → ....

c. Vous avez <u>du pain</u> ? → ....

d. Je ne bois pas <u>de café</u>. → ....

e. Nous voulons <u>du thé</u>. → ....

f. J'achète <u>de l'eau</u> ? → ....

Communication

[COMMANDER AU RESTAURANT/AU CAFÉ] p. 54

1 Écoutez et complétez le dialogue avec les phrases suivantes. cd 19

Des pommes de terre, du fromage, des œufs, de la crème et du lait.

Un plat du jour, s'il vous plaît !   *Combien je vous dois ?*

Qu'est-ce que vous prenez ?

Qu'est-ce qu'il y a dans le gratin de pommes de terre ?

Le client : Bonjour, est-ce que vous avez une table de libre ?

La serveuse : Oui, voilà ! ....

Le client : Quel est le plat du jour ?

La serveuse : Bœuf bourguignon avec gratin de pommes de terre.

Le client : ....

La serveuse : ....

Le client : ....

....

La serveuse : 12 euros s'il vous plaît !

Le client : Voilà ! Merci, au revoir !

[EXPRIMER SES GOÛTS] p. 56

2 Lisez les phrases et cochez.

	♥	☹	☺
a. *J'aime bien les fruits.*			X
b. J'adore le camembert.			
c. Je déteste les carottes.			
d. Les terrasses, c'est génial !			
e. Je n'aime pas la salade.			
f. Cette serveuse est sympa !			

 **Vocabulaire**

[AU RESTAURANT/AU CAFÉ] p. 57

1 Écoutez et complétez le dialogue. cd 20

Le serveur : Bonjour, mesdames, je prends votre .... ?

La cliente 1 : Je prends un .... et un verre d'.. .

La cliente 2 : Pour moi, un ....

Le serveur : Pomme, poire, raisin ou fraise ?

La cliente 2 : Pomme.

Le serveur : Et voilà ! Ça fait 4 € 50 !

[AU RESTAURANT/AU CAFÉ] p. 57

2 Observez la photo. Quels éléments de la liste ne sont pas sur l'image ? Barrez-les.

un verre – une tarte aux fraises – du pain – une assiette – une fourchette – du sel –
un croissant – de la mousse au chocolat – une cuillère – une tasse – du poivre –
une carafe – un couteau – des fruits – une bouteille – du café – du jus de fruits –
une pomme – un soda – du beurre

[AU RESTAURANT/AU CAFÉ] p. 57

3 Positif ou négatif ? Lisez les phrases et cochez.

	Points positifs	**Points négatifs**
a. *Le serveur est poli.*	X	
b. Le restaurant est moche.		
c. Le plat du jour est mauvais.		
d. La terrasse est agréable.		
e. La serveuse est malpolie.		
f. Les croissants sont bons.		
g. Les tables sont jolies.		

Phonétique

[LE *E* FINAL NON PRONONCÉ, LE *É* FINAL PRONONCÉ] p. 52

1 Écoutez les mots. Vous entendez quelle lettre finale ? cd 21

	a.	b.	c.	d.	e.	f.	g.
une consonne (m, t, g, s…)	X						
« é »							

[LE *E* FINAL NON PRONONCÉ, LE *É* FINAL PRONONCÉ] p. 52

2 Écoutez et complétez avec « e » ou « é ». cd 22

a. Le samedi, l'activit........ de No........ : fair........ les cours........s.

b. Le march........ ferm........ à une heur........ .

c. Il achèt........ quell........ quantit........ de fruits ?

d. List........ : th........, caf........, viand........, banan........, huil........, fromag........ râp........ .

e. Il prépar........ un repas équilibr........ pour Zo........ .

[LA CONSONNE FINALE NON PRONONCÉE] p. 58

3 Sortez du labyrinthe. Passez par les mots avec une consonne finale non prononcée. Puis écoutez pour vérifier. cd 23

Départ
▼

beaucoup	dessert	sirop	bœuf	partitif
tennis	œuf	plat	sel	avoir
bouillir	jus	déjeuner	il	bonjour
servir	pommes	serveur	jour	avec
primeur	mangent	prends	veux	petit

▼
Arrivée

 ## Compréhension orale

Qu'est-ce que vous prenez ?

Écoutez et répondez aux questions. cd 24

1 Qui parle ?

O Deux amis.

O Un boucher et une cliente.

O Un serveur et une cliente.

2 Où cela se passe ?

O Au café.

O À la boulangerie.

O Au marché.

3 Combien y a-t-il de formules ?

O 1   O 2   O 3

4 Combien y a-t-il de sandwichs ?

O 1   O 2   O 3

5 Quelle boisson choisit la personne ?

O Un café.

O Un café-crème.

O Un jus de raisin.

6 Réécoutez le dialogue et aidez le serveur à remplir sa commande. cd 24

> Formule n° ....
> Prix : .... €
> Sandwich / salade : **sandwich mixte**
> Pâtisserie : ....
> Boisson : ....

7 **Réécoutez le dialogue et complétez la carte.**

cd
24

Le fournil des copains

Formule n° 1 (4, 50 €) :

sandwich + ...

ou .... + ...

Formule n° 2 (................ €) :

sandwich + ... + ...

ou .... + pâtisserie + boisson

Production orale

[JEUX DE RÔLE]

À deux. Choisissez la fiche A ou B. Prenez connaissance des informations de votre fiche et jouez la scène avec votre partenaire.

Apprenant A

Vous êtes vendeur/vendeuse dans une boulangerie. Voici vos formules :

Au bon pain

Sandwichs :
Jambon - beurre
tomate - mozzarella
fromage
mixte

Formule n° 1 (5 €) :
sandwich + boisson

Formule n° 2 (7 €) :
salade + sandwich + boisson

Formule n° 3 (9 €) :
salade + sandwich
+ pâtisserie + boisson

Salades :
carottes râpées
concombres à la crème
tomates

Pâtisseries :
tarte aux fraises
tarte au citron
gâteau au chocolat

Formule n° ....
Prix : .... €
Salade : ....
Sandwich : ....
Pâtisserie : ....
Boisson : ....

Apprenant B

Vous êtes le client/la cliente, vous demandez des informations au vendeur sur les formules, les prix, les sandwichs, les salades et les desserts, et vous commandez à manger.

Préparation au DELF A1 **Compréhension des écrits**

[STRATÉGIES] **p. 46**

Lisez le document et répondez aux questions.

> Le restaurant d'entreprise est ouvert :
> pour le déjeuner de 11 h 45 à 14 h 00,
> et pour le dîner de 18 h 30 à 20 h 00.
>
> **La formule entrée + plat + dessert : 9 €**

Menu de la semaine :

Lundi	Mardi	Mercredi	Jeudi	Vendredi
		midi		
Entrée : Soupe de légumes	Entrée : Soupe de légumes	Entrée : Salade de carottes	Entrée : Salade niçoise	Entrée : Soupe de légumes
Plat : Tarte provençale, salade de tomates	Plat : Bœuf bourguignon	Plat : Steak, frites	Plat : Steak, gratin de pommes de terre	Plat : Poisson, pommes de terre
Dessert : Salade de fruits	Dessert : Yaourts au choix	Dessert : Fruits au choix	Dessert : Fruits au choix	Dessert : Tarte aux fraises
		soir		
Entrée : Soupe de légumes	Entrée : Salade de carottes	Entrée : Soupe de légumes	Entrée : Soupe de légumes	Entrée : Soupe de légumes
Plat : Poisson, gratin de pommes de terre	Plat : Poisson, pommes de terre	Plat : Poulet rôti, frites	Plat : Bœuf bourguignon	Plat : Poulet rôti, salade
Dessert : Tarte aux fraises	Dessert : Mousse au chocolat	Dessert : Yaourts au choix	Dessert : Salade de fruits	Dessert : Yaourts au choix

1 **Combien coûte la formule ?** ....

2 **Qu'est-ce qu'il y a dans la formule ?** ....

3 **Vous ne mangez pas de viande. Quand est-ce que vous pouvez manger au restaurant d'entreprise ?**

O lundi midi   O mardi midi   O mercredi midi   O jeudi midi   O vendredi midi

O lundi soir   O mardi soir   O mercredi soir   O jeudi soir   O vendredi soir

LES SOLDES, C'EST PARTI !

Grammaire

[LE GENRE ET LE NOMBRE DES ADJECTIFS] p. 63

1 Écoutez et dites si l'adjectif est au masculin ou au féminin. cd 25

	a.	b.	c.	d.	e.	f.	g.
Masculin							
Féminin	X						

[LE GENRE ET LE NOMBRE DES ADJECTIFS] p. 63

2 Accordez les adjectifs.

a. Tu veux acheter des chaussures (cher) ....

b. Vous prenez les chapeaux (mexicain) .... , une jupe (long)

.... et (rouge) ....

c. J'achète des vêtements (indispensable) .... : des chemises (simple)

.... et (élégant) .... pour le travail,

un pantalon (bleu) ....

[LA PLACE DES ADJECTIFS] p. 64

3 Entourez l'adjectif bien placé.

a. Ce (petit) magasin (petit) a des (beaux) vêtements (beaux).

b. Le (blanc) tee-shirt (blanc) est une (bonne) affaire (bonne).

c. J'aime les (bleues) chaussures (bleues) et la (jolie) robe (jolie).

d. J'achète aussi l'(anglais) imperméable (anglais).

[LA PLACE DES ADJECTIFS] p. 64

4 Écrivez des phrases avec les mots proposés.

Exemple : *Camélia porte des lunettes noires.*

Camélia porte   blanc   beau   une robe   une veste en cuir

Laurie a   noir   des chaussures   des lunettes

grand   joli

Julien achète

un costume

a. ....

b. ....

c. ....

Communication

[DONNER UNE APPRÉCIATION] p. 63

Associez les dialogues aux images.

1

2

3

4

a – Il est beau !
– Il est à la mode !

c – Je suis beau ?
– Ça me plaît !

b – Tu aimes ma robe ?
– C'est joli.

d – Je trouve ça joli !
– Oh non, c'est moche !

 **Vocabulaire**

[LES VÊTEMENTS, LES ACCESSOIRES, LA MÉTÉO] p. 65

1 Entourez l'intrus.

a. le pantalon – le jean – l'imperméable – le sac à main – la chemise

b. beige – mauvais – blanc – bleu – gris

c. les bijoux – la ceinture – les chaussures – la chemise – les bottes

d. en été – en coton – en cuir – en jean – en laine

[LES VÊTEMENTS, LES ACCESSOIRES, LA MÉTÉO] p. 65

2 Associez les situations à la météo.

a. Je prends mon imperméable et mon parapluie. •

b. Je ne prends pas mon chapeau. •

c. Je porte des vêtements en coton. •

d. Je ne peux pas sortir ! •

e. Je porte un gros pull et un manteau. •

f. Je prends mes lunettes de soleil et un chapeau. •

• **1.** Il fait chaud.

• **2.** Il pleut.

• **3.** Il fait froid.

• **4.** Il y a du soleil.

• **5.** Il neige, il y a du vent et il fait -10 C°.

• **6.** Il y a du vent.

[LES VÊTEMENTS, LES ACCESSOIRES, LA MÉTÉO] p. 65

3 Écoutez et entourez la bonne réponse. cd 26

a. Elle met : une robe – un pantalon – une jupe.

b. Il achète des vêtements élégants : vrai – faux.

c. Elle prend des vêtements : en coton – en laine – en cuir.

d. Il pleut : vrai – faux.

Grammaire

[LE FUTUR PROCHE ET LE PASSÉ RÉCENT] p. 69

1 Écoutez et indiquez si le verbe est au futur proche ou au passé récent. cd 27

	a.	b.	c.	d.	e.	f.
Futur proche						
Passé récent	X					

[LE FUTUR PROCHE ET LE PASSÉ RÉCENT] p. 69

2 Regardez les images. Pour chaque situation, écrivez trois phrases au passé récent ou au futur proche. Utilisez les expressions entre parenthèses.

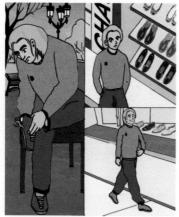

a. (casser une chaussure / aller dans un magasin / acheter des chaussures vertes)

→ ....

....

→ ....

....

→ ....

....

b. (regarder le menu / manger au restaurant / payer l'addition)

→ ....

....

→ ....

....

→ ....

....

c. (prendre le métro / sortir du métro / prendre un taxi)

→ ....

....

→ ....

....

→ ....

....

[L'ADJECTIF DÉMONSTRATIF] p. 70

3 Soulignez la forme correcte.

a. (Cette / Ce / Ces) liseuse sert à lire.

b. Avec (cette / cet / ce) téléphone, on peut prendre des photos.

c. (Ce / Cet / Ces) écran coûte cher.

d. (Cet / Ces / Ce) chaussures sont belles.

e. (Cette / Cet / Ces) appareil photo est une bonne affaire.

f. (Cette / Cet / Ces) objets ne sont pas connectés.

[L'ADJECTIF DÉMONSTRATIF] p. 70

4 Transformez les phrases comme dans l'exemple.
Exemple : *C'est un petit lecteur MP3.* → *Ce lecteur MP3 est petit.*

a. C'est un portefeuille rouge. → ....

b. Ce sont des lunettes rondes. → ....

c. C'est une jolie montre connectée. → ....

d. C'est un ordinateur jaune. → ....

e. C'est une tablette rectangulaire. → ....

f. Ce sont des vêtements chers. → ....

Communication

[DEMANDER/DIRE LA TAILLE ET LA POINTURE], p. 66
[L'UTILITÉ D'UN PRODUIT] p. 68 **[DÉCRIRE UN OBJET]** p. 70

Associez les questions aux réponses.

a. Quelle est votre taille ?

b. Quelle est votre pointure ?

c. Ça sert à quoi ?

d. Ça coûte combien ?

e. Comment est le portefeuille ?

f. Comment est cette valise ?

1. Elle est grande et carrée.

2. Ce n'est pas cher.

3. Je fais du 40.

4. Il est petit et léger.

5. Je chausse du 46.

6. C'est pour écrire et lire.

Vocabulaire

[LES OBJETS TECHNOLOGIQUES, LES OBJETS DU QUOTIDIEN] p. 71

1 Complétez le dialogue avec les mots suivants : *DVD – lourde – sac de sport – liseuse – valise – ordinateur portable – rond.*

Ernest : Quel sac tu prends pour voyager ?

Léa : Le ....

Ernest : Il est .... et petit ! Pourquoi tu ne prends pas la .... ?

Léa : Elle est .... et elle n'est pas pratique.

Ernest : Tu prends l'.. pour regarder des .... dans le train ?

Léa : Non, je préfère la .... , je vais lire.

[LES OBJETS TECHNOLOGIQUES, LES OBJETS DU QUOTIDIEN]

p. 71

2 Trouvez cinq différences entre les deux images et placez les mots dans la bonne colonne du tableau. (Attention : il y a plus de mots...)

Image A

Image B

téléphone portable   porte-monnaie   petit écran   appareil photo

valise ⬤   portefeuille   souris   clavier   tablette   valise ⬤

sac à dos ⬤   grand écran   montre connectée   sac à dos ⬤

Image A	Image B
1	1
2	2
3	3
4	4
5	5

 **Phonétique**

[L'ÉLISION] p. 66

1 Écoutez et choisissez la bonne réponse. Lisez la transcription page 125 pour vérifier vos réponses.

a. Pour (le / l') automne, (j' / je) achète (l' / le) imperméable en cuir ou (l' / le) manteau en laine ?

b. Tu (n' / ne) aimes pas (l' / le) hiver et les pulls.

c. (Je / J') adore (le / l') mois (de / d') juin et les robes (de / d') été.

d. Il y a (le / l') vent (de / d') Ouest et (le / l') orage, je mets (le / l') écharpe (de / d') Adèle.

e. (Ce / C') est (le / l') printemps, (je / j') porte un tee-shirt.

[LES LIAISONS EN [z] ET EN [n]] p. 72

2 Écoutez : la liaison est en [n] ou en [z] ?

	a.	b.	c.	d.	e.	f.	g.
[n]							
[z]	X						

[LES LIAISONS EN [z] ET EN [n]] p. 72

3 Soulignez les liaisons. Lisez les phrases à voix haute et écoutez pour vérifier vos réponses.

Exemple : *Elles achètent une écharpe.*

a. Lili et Tom vont dans un magasin.

b. Le magasin a six étages.

c. Ils demandent des informations sur un ordinateur.

d. Ils parlent à un homme.

e. Ils regardent un écran et une souris.

f. Ils achètent deux ordinateurs, deux écrans et deux souris.

Compréhension écrite

Lisez le texte et répondez aux questions.

Climat et météo du Vietnam

Au nord du Vietnam
De novembre à fin avril-début mai, c'est l'hiver vietnamien. Il ne fait pas trop chaud à Hanoï et dans sa région (delta du fleuve Rouge) : 15 à 20 °C en journée, il peut faire frais (moins de 10 °C) la nuit.

Au sud du Vietnam
Meilleure période : de décembre à avril, c'est la période sans pluie et ensoleillée*. Mars et avril sont des mois chauds, avec une moyenne de 34 à 35 °C.

Conseils vestimentaires
Pour le nord en hiver (de novembre à février), emportez des vêtements chauds et imperméables (genre pull), car il peut faire froid (pluie, vent). Si vous allez dans le sud, prenez des vêtements légers : tee-shirts, chemises en coton, pantalons légers.

Routard.com

*avec du soleil

1 Ce texte est...
O un message personnel.
O une liste de conseils.
O une publicité

2 Il parle...
O de la météo.
O des magasins.
O des restaurants.

3 Ce texte est écrit pour des touristes.
O Vrai
O Faux

4 Ce texte explique comment...
O manger.
O s'habiller.
O aller dans une autre ville.

Production écrite

Lisez le message et répondez à Léo. (40 mots environ)

Bonjour,
Je vais visiter ton pays cette année, je suis très content ! Quelle est la bonne saison pour voyager ? Est-ce que l'été est très chaud ? L'hiver très froid ? Quel est le mois idéal pour venir ?
Merci et à bientôt !
Léo

Détente

[QUIZ]

**1 Répondez aux questions :
les réponses sont dans l'unité 4 !**

a. En France, il y a des soldes :

○ en mars et en septembre.

○ en hiver et en été.

○ au printemps.

b. Comment on dit « faire du shopping » au Québec ?

○ Avoir chaud   ○ Tricoter   ○ Magasiner

c. La « marinière » c'est :

○ un tee-shirt à rayures.   ○ un parfum.   ○ une perche à selfies.

d. Un exemple d'objet connecté c'est :

○ un sac à main.   ○ une pointure.   ○ un appareil photo numérique.

e. Les « objets trouvés » sont :

○ un café célèbre de Paris.

○ un bureau pour les objets perdus dans la ville.

○ un magasin d'ordinateurs et d'objets électroniques.

[LE LABYRINTHE DES VÊTEMENTS]

2 Passez par les noms de vêtements pour sortir du labyrinthe (diagonale interdite).

Départ ▼

marinière	**pull**	offert	**neige**	restaurant	ordinateur	tablette
téléphone	**robe**	clavier	costume	**manteau**	**veste**	**liseuse**
soldé	pantalon	**jupe**	**tee-shirt**	**personne**	chemise	**imperméable**
orage	écran	**souris**	pluie	affaire	**livre**	jean
musique	**passé**	**perche**	**bijoux**	ceinture	**parapluie**	**tricot**

Arrivée ▼

C'EST QUOI LE PROGRAMME ?

 **Grammaire**

[LES VERBES PRONOMINAUX AU PRÉSENT] p. 77

1 Remettez les éléments dans l'ordre pour former des phrases.

a. ils / Tous les dimanches, / se / avec des amis. / promènent

....

b. tous / se / Paul / matins. / rase / les

....

c. 6 h. / Je / douche / vers / me / souvent

....

d. nous / nous / tard. / De temps en temps, / réveillons /

....

e. ne / Gisèle / s' / occupe / pas / du linge.

....

[LES VERBES PRONOMINAUX AU PRÉSENT] p. 77

2 Conjuguez les verbes au présent.

a. Tous les matins, je (se maquiller) ....

b. Il (se brosser) .... les dents.

c. Nous (se coiffer) .... le matin.

d. Elle (se lever) .... vers 7 h.

e. Tu (s'endormir) .... tard le soir.

[LA FRÉQUENCE] p. 78

3 Quelles activités est-ce que Lucie fait ? Écoutez et cochez. cd 31

Les activités de Lucie	Jamais	De temps en temps	Souvent	Toujours
Écouter de la musique				
Lire				
Regarder la télé				
Faire le ménage				
Faire du sport				
Jardiner				

[LA FRÉQUENCE] p. 78

4 Répondez aux questions. Utilisez *jamais, de temps en temps, souvent* et *toujours*.

Exemple : – *Tu fais du sport ? – Oui, je fais du sport **de temps en temps**.*

a. – Vous regardez la télévision ? – Oui, ...

b. – Elles passent l'aspirateur ? – Non, ...

c. – Max va au cinéma ? – Oui, ...

d. – Vous faites le ménage ? – Oui, ...

e. – Tu cuisines ? – Non, ...

Communication

[DEMANDER/DIRE L'HEURE] p. 77

Complétez les dialogues : demandez et donnez l'heure à l'aide des horloges.

Exemple : – *Bonjour madame, vous avez l'heure, s'il vous plaît ?*
– *Oui, il est dix heures cinq.*
– *Merci.*

a. – Salut Lison, ... ?
– ....

– À quelle heure tu te douches ?
– ....

b. – Bonjour maman, ... ?

– ....

 – J'ai rendez-vous à ....

– Tu vas être en retard !

 Vocabulaire

[DIRE L'HEURE] p. 79

1 Écoutez et dites quelle heure il est sous chaque horloge. cd 32

a. *Il est* .... **b.** .... **c.** .... **d.** .... **e.** ....

....

....

[LES ACTIVITÉS QUOTIDIENNES, LE TEMPS LIBRE] p. 79

2 Observez les personnes. Qu'est-ce qu'elles font ?

Exemple : *Écouter de la musique.*

a. ....

b. ....

c. ....

d. ....

[LES ACTIVITÉS QUOTIDIENNES, LE TEMPS LIBRE] p. 79

3 Entourez l'intrus.

a. faire les courses – faire du sport – passer l'aspirateur – faire la lessive

b. écouter de la musique – regarder la télévision – faire la vaisselle – faire une promenade

c. se coiffer – s'occuper des enfants – aller sur internet – se préparer

 ## Grammaire

[L'IMPÉRATIF] p. 83

1 Soulignez les verbes au présent de l'indicatif et entourez les verbes à l'impératif présent.
Exemple : *(Viens) à l'exposition !*

a. Tu achètes des places de théâtre ?

b. Écoutez la musique !

c. Nous partons en vacances.

d. Soyez à l'heure au concert !

e. Tu invites ton amie au festival ?

f. Regardez la télévision !

[L'IMPÉRATIF] p. 83

2 Écrivez le message à l'impératif présent.

Léa,

Tu invites Jeanne au cinéma.
Tu réserves les places sur internet.
Vous partez à 19 h.
Vous allez voir le film de Woody Allen à 19 h 30.
Tu prends un manteau, il fait froid.
Vous êtes à l'heure !

Bisou,
Maman

→ ....

[L'ANTÉRIORITÉ ET LA POSTÉRIORITÉ] p. 84

3 Observez la flèche et complétez le mail avec *avant* ou *après*.

| Petit déjeuner | Courses | Déjeuner | Se baigner | Balade | Concert |

Salut Louis,

Je te propose plusieurs activités pour samedi. .... le petit déjeuner,

on peut faire les courses. L'après-midi, ... le déjeuner au

restaurant de la plage, on pourrait se baigner. Et le soir, ... le

concert, on pourrait faire une balade en ville. Ça te dit ?

Réponds-moi vite !

Cécile

Communication

[PROPOSER UNE SORTIE ET FIXER UN RENDEZ-VOUS] p. 82

1 Regardez votre agenda. Proposez une activité à un(e) ami(e) pendant le week-end. Précisez le lieu, la date et l'heure. (50 mots environ)

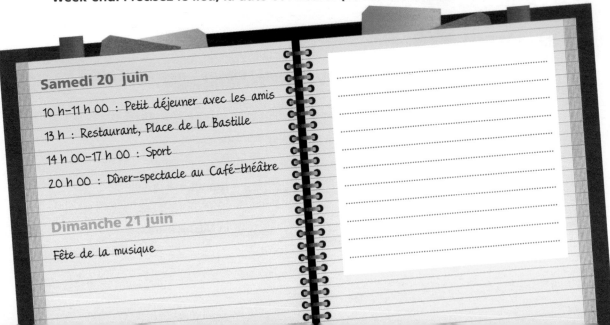

Samedi 20 juin

10 h–11 h 00 : Petit déjeuner avec les amis

13 h : Restaurant, Place de la Bastille

14 h 00–17 h 00 : Sport

20 h 00 : Dîner-spectacle au Café-théâtre

Dimanche 21 juin

Fête de la musique

[ACCEPTER/REFUSER] p. 83

2 Un ami vous propose des sorties. Vous acceptez ou vous refusez ?

a. Tu veux venir au concert avec nous ce soir ?

[Vous acceptez] ....

....

b. On pourrait aller au cinéma ?

[Vous refusez] ....

....

c. Ça te dit d'aller voir l'exposition Picasso à Beaubourg ?

[Vous acceptez] ....

....

d. Je te propose un restaurant chinois. Ça te va ?

[Vous refusez] ....

....

 **Vocabulaire**

[LES SORTIES] p. 85

1 Complétez les phrases avec les mots suivants : *théâtre – balade – musée – cinéma – concert – croisière.*

a. Je suis au .... Je regarde un film avec Fabrice Luchini.

b. On se retrouve au .... pour aller voir une exposition.

c. Je propose d'aller écouter le .... de musique classique.

d. On pourrait aller voir la pièce de .... « Marius » à la salle de spectacle du village ?

e. Cette année, nous faisons une .... sur la Méditerranée.

f. Ça te dit de faire une .... en forêt ?

[LES SORTIES] p. 85

2 Complétez l'affiche avec les mots suivants : *faire une croisière – réserver – concert – billets – regarder – musée – site – bateau.*

Sortir à Paris l'été

.... sur la Seine, ça vous dit ?

La compagnie des Bateaux mouches de Paris vous propose de découvrir Paris sur l'eau.

Au programme : un dîner sur le ....

et un .... de jazz.

Pour .... votre table :

envoyez un email à reserve@bateaumouche.fr

En +

La visite du .... Grévin

(.................. à réserver sur place).

Durée de la croisière : 3 heures.

Vous pouvez.......................... le programme

sur notre .... : www.croisière@paris.fr

À bientôt sur La Seine !

 Phonétique

[LES SONS [i]/[y]] p. 80

1 Écoutez et dites si vous entendez [i] ou [y]. cd 33

	a.	b.	c.	d.	e.	f.
[i]						
[y]						

[LES SONS [i]/[y]] p. 80

2 Lisez, soulignez les sons [i] et entourez les sons [y]. Puis écoutez pour vérifier vos réponses. cd 34

a. Lili dit : on fait quoi cette semaine ?

b. Tu te réveilles à sept heures et moi à une heure.

c. Je reste au lit et tu passes l'aspirateur.

d. Tu fais la lessive et je fais la lecture.

e. Je me maquille, je m'habille et j'écoute de la musique.

[LES SONS [y]/[u]] p. 86

3 Écoutez. [y] est avant ou après [u] ? Cochez puis lisez la transcription page 125 pour vérifier. cd 35

	a.	b.	c.	d.	e.	f.
[y] est avant [u]						
[y] est après [u]						

 ## Compréhension orale

Le spectacle du Café-théâtre du Point

Écoutez et répondez aux questions. cd 36

1 Le Café-théâtre du Point propose de :
a. regarder le spectacle à la télévision.
b. participer à un dîner-spectacle.

2 Le spectacle a lieu :
a. tous les soirs à 23 h 30.
b. tous les soirs à 21 h.
c. tous les soirs de 19 h 15 à 23 h 30.

3 À quelle heure commence le dîner ? ....

4 C'est possible de réserver par téléphone ? .... **Avant quelle date ?** ....

5 Comment faire pour avoir plus d'informations sur le spectacle ?

....

Production orale

[JEUX DE RÔLE]

À deux. Choisissez la fiche A ou B. Posez des questions à votre voisin(e) et complétez votre fiche.

Fiche A

Le centre d', ...

de la ville vous propose

du 1er au 19 juin

Activités ....

Tous les vendredis à partir de 20 h.

Au choix :

.............................., théâtre, concert,

atelier de danse.

Activités sportives

Du lundi au vendredi à partir

de ....

Inscription avant le 25 mai

sur notre site internet

loisirs@votreville.com

Pour plus d'informations, contacter

le centre au 01.40.37.09.22

de .... à ...., du lundi

au vendredi.

Fiche B

Le centre d'activités

de la ville vous propose

du .... au ....

Activités culturelles

Tous les vendredis à partir de 20 h.

Au choix :

Cinéma, théâtre, ...,

atelier de danse.

Activités ....

Du lundi au vendredi à partir

de 10 h 15.

Inscription avant ....

sur notre site internet

loisirs@votreville.com

Pour plus d'informations, contacter

le centre au 01.40.37.09.22

de 10 h 30 à 12 h, du lundi

au vendredi.

Préparation au DELF A1 **Compréhension de l'oral**

[STRATÉGIES] p. 74

Votre amie Kahina laisse un message sur votre répondeur.
Écoutez et répondez aux questions.

cd 37

1 Quelle exposition propose Kahina ?

a. ◯

b. ◯

c. ◯

2 Où se trouve l'exposition ?

....

3 Quand Kahina veut aller à l'exposition ?

....

4 Pour répondre, vous pouvez :

◯ écrire un mail à Kahina.

◯ téléphoner à Kahina.

◯ aller au bureau de Kahina.

FÉLICITATIONS !

Grammaire

[LES ADJECTIFS POSSESSIFS] p. 91

1 Complétez les phrases avec le bon adjectif possessif.

Exemple : *(je)* .... *parents s'appellent Marc et Sophie.* → ***Mes** parents s'appellent Marc et Sophie.*

a. Ils invitent (ils) .... amis à la maison.

b. (elle) .... voisine s'appelle Jacqueline.

c. Tu aimes (tu) .... quartier ?

d. Je ne connais pas (vous) .... famille.

e. Tu aimes (nous) .... maison ?

[LES ADJECTIFS POSSESSIFS] p. 91

2 Répondez aux questions. Utilisez un adjectif possessif, comme dans l'exemple.

Exemple : *Quel âge a ton frère? (15 ans)* → ***Mon frère a 15 ans.***

a. Comment s'appelle ta soeur ? (Marie) → ....

b. Quelles sont tes villes préférées ? (Prague et Milan) → ....

c. Quel âge a ton chien ? (5 ans) → ....

d. Comment va votre oncle ? (bien) → ....

e. Où habitent vos amis ? (Lisbonne) → ....

[LE PASSÉ COMPOSÉ (1)] p. 92

3 Écoutez et cochez les phrases au passé composé. cd 38

	a.	b.	c.	d.	e.	f.
Passé composé						
Présent						

[LE PASSÉ COMPOSÉ (1)] p. 92

4 Transformez les phrases au passé composé.

Exemple : *Elle envoie le faire-part.* → *Elle **a envoyé** le faire-part.*

a. J'oublie son anniversaire. → ....

b. Elle ne peut pas venir aujourd'hui. → ....

c. Vous dormez chez maman ? → ....

d. Jean appelle Marc pour annoncer la nouvelle. → ....

e. Katie, tu manges avec Clara ? → ....

f. Nous ne prenons pas le bus pour venir. → ....

Communication

[PRÉSENTER SA FAMILLE] p. 91

Présentez la famille de Pierre : imaginez les relations entre les personnes.

....

....

....

....

....

Vocabulaire

[LA FAMILLE] p. 93

1 Écoutez et complétez les phrases.
cd 39

Albert – Martine

Luca – Isabelle   Paul – Tina

Jessica – Jennifer – Arnaud   Clémentine

a. Clémentine est la .... de Luca.

b. Paul est le .... de Tina.

c. Jennifer est la .... de Clémentine.

d. Paul et Tina sont les .... de Clémentine.

e. Albert et Martine sont les .... de Jessica, Jennifer, Arnaud et Clémentine.

f. Luca est le .... de Paul.

[LA FAMILLE, L'ENTOURAGE] p. 93

2 Classez les mots suivants dans le tableau : ~~le père~~ – *le pote* – *la copine* – *le fils* – *la meilleure amie* – *le mari* – *les grands-parents* – *la nièce* – *les collègues* – *la voisine*.

La famille	L'entourage
le père	

55

Grammaire

[C'EST UN(E) - IL/ELLE EST] 📖 p. 97

1 Complétez les phrases suivantes avec : *c'est – il est – elle est.*
Exemple : *Johnny,* .... *un chanteur !* → *Johnny,* ***c'est*** *un chanteur !*

a. J'aime beaucoup Nina, ... très agréable.

b. Laura, ... infirmière.

c. Michael, il travaille à l'université, ... un professeur.

d. Georges n'est pas marié, ... célibataire.

e. Stéphane parle beaucoup, ... bavard.

f. Pamela, c'est ma meilleure amie, ... une journaliste.

[C'EST UN(E) - IL/ELLE EST] 📖 p. 97

2 Transformez les phrases suivantes comme dans l'exemple.
Exemple : *Benoît et François sont des acteurs.* → ***Ce sont*** *des acteurs. / Benoît et François sont sympathiques.* → ***Ils sont*** *sympathiques.*

a. Pierre et Vincent sont grands.

→ ....

b. Arnaud est un musicien.

→ ....

c. Vanessa et John sont des architectes.

→ ....

d. Lola est une journaliste.

→ ....

e. Bruno est intelligent.

→ ....

f. Stéphanie est calme.

→ ....

[LES INDICATEURS DE TEMPS DU PASSÉ ET DU FUTUR] p. 98

3 Observez l'agenda de Maxime et répondez aux questions. Utilisez des indicateurs de temps.

Exemple : *Quand est-ce que Maxime a rencontré Charlotte ?* → ***La semaine dernière.***

Agenda de Maxime

● ● ● Calendriers +			Jours	Semaine	Mois	Année

avril 2016 < Aujourd'hui >

Lun.	Mar.	Mer.	Jeu.	Ven.	Sam.	Dim.
1 Rencontre avec Charlotte	2 Cinéma avec Franck	3	4	5	6	7
8	9 Téléphoner Maman	10 Aujourd'hui	11	12 Dîner avec Charlotte	13	14
15	16	17	18	19	20	21 Voyage en Italie

a. Quand est-ce que Maxime a téléphoné à sa mère ? → ....

b. Quand est-ce que Maxime va dîner avec Charlotte ? → ....

c. Quand est-ce que Maxime est allé au cinéma avec Franck ? → ....

d. Quand est-ce que Maxime va voyager en Italie ? → ....

Communication

[DÉCRIRE QUELQU'UN] p. 97

Observez les photos et placez les phrases dans la ou les bonnes colonnes :
Il est roux. / Il n'a pas l'air drôle. / Il a l'air calme. / Il est barbu. / Il a les cheveux courts et frisés. / Il a les yeux marron. / Il a les cheveux longs. / Il a les yeux bleus.

Pierre ◄	◄ Arnaud
....	*Il a l'air calme.* ....
....	....
....	....
....	....
....	....

Aâz Vocabulaire

[LA DESCRIPTION PHYSIQUE, LE CARACTÈRE] p. 99

1 Écoutez et associez la description à la photo correspondante.

cd
40

[LA DESCRIPTION PHYSIQUE, LE CARACTÈRE] p. 99

2 Classez les mots suivants dans le tableau : ~~grand~~ – *intelligente* – *barbu* – *gentille* – *calme* – *désagréable* – *mince* – *timide* – *stressée* – *bavard* – *rousse*.

Description physique			Caractère		
👤	👤/👤	👤	👤	👤/👤	👤
grand					

Phonétique

[LES VOYELLES NASALES [ɑ̃]/[ɔ̃]] p. 94

1 **Écoutez : dans quelles phrases vous entendez [ɑ̃] ou [ɔ̃] ? Cochez. Lisez la transcription page 126 à voix haute.** cd 41

	a.	b.	c.	d.	e.	f.
[ɑ̃]						
[ɔ̃]						

[LES VOYELLES NASALES [ɑ̃]/[ɛ̃]] p. 100

2 **Écoutez : dans quelle syllabe est le son [ɛ̃] ? Écoutez une deuxième fois et répétez les mots.** cd 42

	a.	b.	c.	d.	e.
1ʳᵉ syllabe					
2ᵉ syllabe					
3ᵉ syllabe					

[LES VOYELLES NASALES [ɑ̃]/[ɛ̃]] p. 100

3 Lisez et soulignez les sons [ɑ̃], entourez les sons [ɛ̃]. Écoutez pour vérifier. cd 43

a. Mon cousin vient demain pour cinq jours.

b. Il travaille au Cambodge mais il est français.

c. C'est un homme grand, brun, gentil et très intelligent.

d. Nous allons prendre le train pour Caen dimanche prochain.

e. Ses parents habitent en Normandie, à Blainville.

f. Ils vendent des parfums dans leur magasin.

Compréhension écrite

[JE ME MARIE !]

Lisez le document et répondez aux questions.

À : jognot-arnaud@iscali.com

Objet : Je me marie !

Salut Arnaud,

J'ai quelque chose à t'annoncer : Juliette et moi, on va se marier dans 6 mois !
Tu veux venir dîner à la maison la semaine prochaine ? Papa et maman viennent aussi.
Tu peux venir avec ta copine… Eh oui, j'ai appris la nouvelle ! C'est super !
Elle est comment ? Elle s'appelle comment ? Tu me donnes son adresse mail : on l'invite !

À très bientôt !

Bises,
Ton frère, Julien

1 Arnaud a reçu :

O une carte postale.

O un mail.

O un faire-part.

2 Julien annonce :

O un mariage.

O une naissance.

O un anniversaire.

3 Julien invite Arnaud :

O demain.

O dans 6 mois.

O la semaine prochaine.

4 Qui va venir au dîner ?

O Les grands-parents.

O Les parents.

O Les cousins.

5 Arnaud doit envoyer :

O ses vœux.

O son invitation.

O les coordonnées de sa copine.

6 Arnaud est :

O l'ami de Julien.

O le cousin de Julien.

O le frère de Julien.

Production écrite

Vous êtes Arnaud, répondez au mail de Julien et présentez votre copine Sabine. Vous décrivez son physique et son caractère. (50 mots)

À : julien.jognot@iscali.com

Rép : Je me marie !

....

....

....

....

....

....

....

....

....

....

....

....

 **Détente**

Retrouvez dans la grille les mots pour décrire Simon.

- ~~généreux~~
- barbu
- moustachu
- cheveux courts
- blond
- yeux bleus
- drôle
- calme
- timide
- sympa
- gentil

Simon

C	H	E	V	E	U	X	C	O	U	R	T	S
Y	A	E	I	G	E	N	E	R	E	U	X	Y
E	R	B	A	R	B	U	X	B	T	E	L	M
U	X	T	V	A	R	O	A	B	C	S	D	P
X	U	S	B	N	E	E	X	C	V	B	G	A
B	L	O	N	D	D	R	D	R	O	L	E	D
L	S	R	N	S	H	E	R	T	Y	Y	N	R
E	W	M	Y	A	M	V	B	R	T	T	T	F
U	T	I	M	I	D	E	C	X	S	E	I	B
S	T	B	S	D	G	J	Y	H	U	N	L	O
C	G	C	A	L	M	E	F	G	T	G	B	T
C	B	E	U	M	O	U	S	T	A	C	H	U

CHEZ MOI

 **Grammaire**

[LES PRONOMS COD] p. 105

1 Remplacez les mots soulignés par *le, la, l'* ou *les*.
Exemple : *Je vais visiter <u>l'appartement</u>.* → *Je vais **le** visiter.*

a. Aujourd'hui, j'installe <u>l'armoire</u> dans la chambre.

→ ....

b. J'aime <u>ma nouvelle table de nuit</u> !

→ ....

c. Tu viens voir <u>mes nouveaux meubles</u> ?

→ ....

d. Je vais peindre <u>le bureau</u>.

→ ....

e. Nous allons changer <u>la cuisine</u>.

→ ....

[LES PRONOMS COD] p. 105

2 Reliez les éléments pour former des phrases.

a. Ninon n'aime pas sa cuisine,   •
b. Ils ont rempli l'état des lieux,   •
c. J'ai repeint le salon,   •
d. Ces meubles nous plaisent,   •
e. Les voisins sont gentils,   •

• **1.** je les aime bien.
• **2.** les locataires l'adorent.
• **3.** son mari va la changer.
• **4.** le propriétaire va le signer.
• **5.** nous allons les acheter.

[LES PRÉPOSITIONS DE LIEU (2)] p. 106

3 Observez l'image. Où se trouvent les objets ? Répondez.

Où est...

a. le canapé ? Le canapé est .... la bibliothèque et la fenêtre.

b. la plante ? La plante est .... la table à .... du canapé.

c. la télévision ? La télévision est .... le canapé.

d. l'aquarium ? L'aquarium est .... de la télévision.

e. le livre ? Le livre est .... la table basse.

[LES PRÉPOSITIONS DE LIEU (2)] p. 106

4 Écoutez la description de la chambre et placez le nom des meubles sur le plan : *le bureau – la table de nuit – le fauteuil – l'armoire.*

 cd 44

a.	**b.** Le lit	c. ....

d.	e. ....

Communication

[S'INFORMER SUR UN LOGEMENT] p. 105

Lisez l'annonce. Il manque des informations. Posez des questions au propriétaire pour les obtenir.

→ ....

....

→ ....

....

→ ....

....

→ ....

....

Loyer : 450 euros/mois
Ville : Toulouse
Type de bien : Appartement
Surface : ?
Meublé/Non meublé : ?
Nombre de pièces : ?
Description :
Situé en centre-ville.
Calme et lumineux.
Ascenseur : ?
Libre : à partir du 1er juin

Vocabulaire

[LE LOGEMENT, LES MEUBLES] p. 107

1 Reliez les éléments des deux colonnes.

a. Dans mon appartement, •   • **1.** il y a un lit, une table de nuit et une armoire.

b. Dans la cuisine, •   • **2.** il y a deux chambres, une cuisine et un salon.

c. Dans le salon, •   • **3.** il y a une télévision et un canapé.

d. Dans la chambre, •   • **4.** il y a une cuisinière.

[LE LOGEMENT] p. 107

2 Complétez l'annonce de location avec les mots suivants : *meublé – pièces – superficie – cuisine équipée – appartement – étage.*

Type de logement : ....

.... : 3 + 1 garage

.... : 45 m² .... : 2e

.... : canapé, lit, table basse et table de nuit

.... : cuisinière, hotte et lave-vaisselle

[LES MEUBLES, L'ÉLECTROMÉNAGER] p. 107

3 Rangez les meubles ou les appareils électroménagers dans la bonne pièce (plusieurs réponses possibles).

la lampe   le four   le fauteuil   le lave-vaisselle   la table   le lit

la bibliothèque   la chaise   la table de nuit

a. La chambre	b. La cuisine	c. Le salon

 **Grammaire**

[L'OBLIGATION ET L'INTERDICTION (1)] p. 111

1 Remettez les éléments dans l'ordre pour former des phrases.

a. prendre / l'ascenseur. / Évitez de

→ ....

b. faire / après 22 h. / Interdiction de / du bruit

→ ....

c. les cuisines. / Défense d' / dans / entrer

→ ....

d. ne pas / dans / à poubelles. / Merci de / le local / fumer

→ ....

e. fermer / la porte / ne pas / le soir. / Prière de

→ ....

f. allumées / laisser / après 22 h. / Ne pas / les lumières

→ ....

[L'OBLIGATION ET L'INTERDICTION (1)] p. 111

2 Entourez dans le texte les mots pour exprimer l'interdiction.

Mes chers élèves !

Je vous rappelle les règles de l'établissement :
- Il est interdit de boire et manger dans la classe.
- Défense de stationner devant l'établissement.
- Ne pas courir dans les escaliers.
- Évitez de crier.
- Respectez le matériel.
- Et merci de ne pas jeter vos déchets par terre.

[LE PRONOM Y] p. 112

3 Remettez les éléments dans l'ordre pour former des phrases.

a. On / le repas. / y / prépare

→ ....

b. lavons. / y / nous / Nous

→ ....

c. y / rencontré / Nous / les voisins. / avons

→ ....

d. n' / les poubelles. / jetons / Nous / y / pas /

→ ....

e. as / Tu / pensé. / n' / pas / y

→ ....

[LE PRONOM Y] p. 112

4 Transformez les phrases : remplacez les mots soulignés par *y*.
Exemple : *Nous dormons <u>dans un lit</u>.* → *Nous **y** dormons.*

a. J'habite <u>dans un appartement</u>.

→ ....

b. Il ne range pas ses livres <u>dans la bibliothèque</u>.

→ ....

c. Je vais acheter une table <u>dans ce magasin</u>.

→ ....

d. Vous faites à manger <u>dans la cuisine</u>.

→ ....

e. Nous conservons la nourriture <u>dans le frigo</u>.

→ ....

Communication

[S'EXCUSER DANS UN MESSAGE] p. 111

Lisez les situations et écrivez des messages d'excuse. Variez les expressions.

a. Vous demandez au locataire de mettre les poubelles dans le local à poubelles.

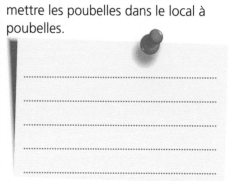

b. Vous vous excusez auprès de votre voisine parce que vous avez fait du bruit pendant votre déménagement.

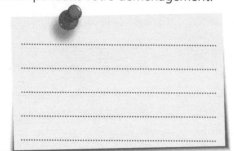

c. Vous vous excusez auprès de votre voisin car vous allez faire du bruit pendant votre fête d'anniversaire.

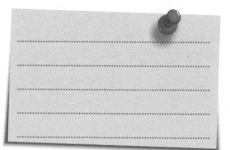

d. Vous ne pouvez pas aller à la soirée chez vos amis.

Vocabulaire

[L'IMMEUBLE, LES RÉPARATIONS] p. 113

1 Observez l'image et placez les mots suivants : *le rez-de-chaussée – la gardienne – l'escalier – la porte d'entrée – le locataire – l'étage – le local à poubelles.*

[L'IMMEUBLE, LES RÉPARATIONS] p. 113

2 Lisez les définitions et complétez la grille de mots croisés.

a. Il répare les ampoules.
b. Il répare les serrures.
c. Il répare les fuites d'eau.
d. Ça sert à ouvrir une porte.
e. On l'utilise pour réparer.

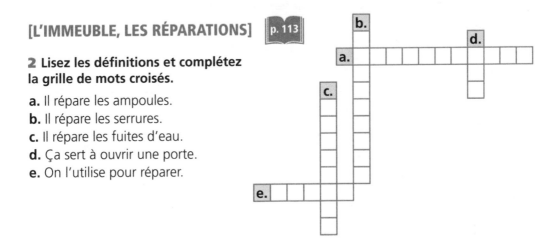

[L'IMMEUBLE, LES RÉPARATIONS] p. 113

3 Écoutez les messages. Qui parle ? Le plombier, l'électricien ou le serrurier ? Cochez. cd 45

	Message 1	Message 2	Message 3
Le plombier			
L'électricien			
Le serrurier			

Phonétique

[LES SONS [f]/[v]] p. 108

1 Écoutez les phrases et dites si vous entendez [f]/[v], [v]/[f] ou [f]/[f]. Puis lisez la transcription page 126 pour vérifier. cd 46

	a.	b.	c.	d.	e.	f.
[f]/[v]						
[v]/[f]						
[f]/[f]						

[LES SONS [b]/[v]] p. 114

2 Écoutez et dites si les mots sont identiques (=) ou différents (≠). Puis lisez la transcription page 126 pour vérifier. cd 47

	a.	b.	c.	d.	e.	f.
=						
≠						

[LES SONS [b]/[v]] p. 114

3 Écoutez, répétez les phrases et comptez le nombre de [b] et de [v]. cd 48

- **phrase a :** [b] = ... [v] = ...
- **phrase b :** [b] = ... [v] = ...
- **phrase c :** [b] = ... [v] = ...
- **phrase d :** [b] = ... [v] = ...
- **phrase e :** [b] = ... [v] = ...
- **phrase f :** [b] = ... [v] = ...

Compréhension orale

Madame Brousse loue sa maison

Écoutez et répondez aux questions.

1 Pourquoi madame Brousse loue sa maison ?
○ La maison est trop grande.   ○ Madame Brousse déménage.

2 Combien il y a de pièces ?
○ 7   ○ 6   ○ 5

3 Où se trouve le salon ? ....

4 De quoi est équipée la cuisine ?
○ un four   ○ une cuisinière   ○ un lave-vaisselle   ○ un réfrigérateur

5 Quel est le problème dans la salle de bains ?

....

6 Qu'est-ce qu'il est interdit de faire dans le quartier ?

....

 ## Production orale

[JEUX DE RÔLE]

À deux. Choisissez la fiche A ou B. Prenez connaissance des informations de votre fiche et jouez la scène avec votre partenaire.

Apprenant A

Votre colocataire et vous voulez vous installer dans un nouveau logement. Vous proposez à votre colocataire un nouveau type de logement. Vous décrivez ce nouveau logement (appartement ou maison, nouvelle adresse, nombre de pièces, étage, ascenseur, meublé/non meublé, calme, bruyant…).

Votre colocataire et vous voulez vous installer dans un nouveau logement. Votre colocataire vous propose un nouveau logement. Vous n'êtes pas d'accord avec sa proposition. Vous lui expliquez pourquoi vous n'êtes pas d'accord.

Apprenant B

📖 Préparation au DELF A1 Compréhension de l'oral

[STRATÉGIES] p. 74

Vous écoutez ce message sur votre répondeur. Répondez aux questions. cd 50

1 Qui est monsieur Lesage ?

....

2 Comment est l'appartement ?

a. 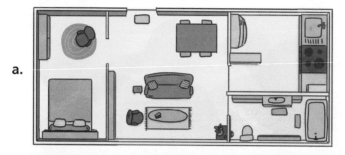 ○

b. 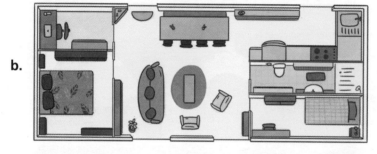 ○

c. 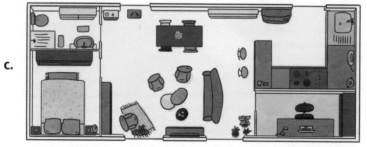 ○

3 Quand est-ce que vous pouvez visiter l'appartement ?

....

4 Quel numéro de téléphone vous devez appeler ?

....

BONNES VACANCES !

Grammaire

[LA COMPARAISON (1)] p. 119

1 Remettez les mots dans l'ordre pour faire des phrases.

Exemple : *est / la chambre. / sombre / plus / que / Le studio* → *Le studio est plus sombre que la chambre.*

a. l'hôtel. / meilleurs / sont / Les repas / à l'auberge / qu'à

→ ....

b. plus / la / fait / qu'à / maison. / Il / froid

→ ....

c. est / tranquille / que / La chambre d'hôtel / le camping. / plus

→ ....

d. La piscine / aussi / terrain de foot. / est / grande / qu'un

→ ....

[LA COMPARAISON (1)] p. 119

2 Faites des comparaisons avec les éléments proposés.

Exemple : (+) *(l'auberge – petit – l'hôtel)* → *L'auberge est plus petite que l'hôtel.*

a. (=) (la visite du musée – intéressant – la visite du château)

→ ....

b. (+) (l'hôtel – confortable – le camping)

→ ....

c. (–) (la chambre d'hôtes – cher – la chambre d'hôtel)

→ ....

d. (+) (l'accueil à l'hôtel** – bon – l'accueil à l'hôtel***)

→ ....

e. (+) (la piscine du camping – grand – la piscine de l'hôtel)

→ ....

[LES VERBES EN *-IR* AU PRÉSENT] p. 120

3 3ᵉ personne du singulier ou du pluriel ? Écoutez et complétez le tableau. cd 51

	Rougir	Réfléchir	Partir	Finir	Dormir	Choisir
Singulier						
Pluriel						

[LES VERBES EN *-IR* AU PRÉSENT] p. 120

4 Conjuguez les verbes au présent.

Exemple : *Les spectateurs (applaudir)* .... → *Les spectateurs* **applaudissent**.

a. Tu (remplir) .... la fiche de réservation.

b. Nous (réfléchir) .... longtemps avant de voyager.

c. Vous (finir) .... à quelle heure ?

d. Je ne sais pas quel sac emporter. Tu (choisir) .... pour moi ?

e. Ils (dormir) .... à Bogota demain.

f. Elle (sortir) .... de l'avion.

Communication

[EXPRIMER LA PRÉFÉRENCE] p. 118

1 Qu'est-ce que vous préférez ? Utilisez : *C'est mieux – Je préfère – J'aime mieux.*

a. (+ petit)

Exemple : *Je préfère Strasbourg, c'est plus petit.*

b. (+ rapide)

....

c. (– cher)

....

d. (+ agréable)

....

e. (+ écologique)

....

f. (+ tranquille)

....

[RAPPELER QUELQUE CHOSE À QUELQU'UN] p. 120

2 Vous rappelez à vos amis de faire quelque chose : écrivez sur les post-it.

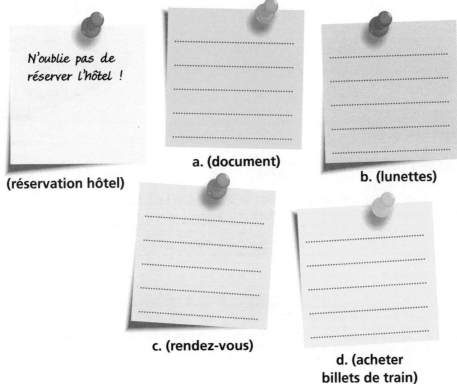

N'oublie pas de réserver l'hôtel !

(réservation hôtel)

a. (document)

b. (lunettes)

c. (rendez-vous)

d. (acheter billets de train)

 Vocabulaire

[LES VOYAGES] p. 121

1 Complétez le message avec les mots suivants : *départ – billets – hôtel – taxi – piscine – gare – draps.*

Bonjour Julie,

Nous partons demain à 20 h. Prête pour le .... ? J'ai réservé le

.... et l'..................................... . Les .... sont fournis et il y

a une ....

On se retrouve à la .... N'oublie pas les .... !

À demain,

Amandine

[LES VOYAGES] p. 121

2 Qu'est-ce qu'il y a dans la valise ? Écrivez le nom des objets.

....

....

....

 Grammaire

[LE PASSÉ COMPOSÉ (2)] p. 125

1 Être ou avoir ? Écoutez et classez les verbes selon leur construction au passé composé : *aller – partir – dormir – venir – manger – arriver – sortir.*

cd
52

Être	Avoir
Aller	....
....	....
....	....
....	....

[LE PASSÉ COMPOSÉ (2)] p. 125

2 Soulignez l'auxiliaire correct et accordez le participe passé.

Cher Paul,
Je (ai / suis) arrivé........ à Bordeaux le 15 juin.
Je (ai / suis) dormi à l'hôtel des Fleurs. Ma
sœur (a / est) venu........ me rejoindre. Nous
(avons / sommes) visité........ la ville. Puis,
nous (avons / sommes) parti........ à Brest. Nous
(avons / sommes) passé........ des vacances
merveilleuses en Bretagne. Nous (avons / sommes)
fait........ de longues randonnées et nous (avons /
sommes) allé........ visiter des petits villages.
Je t'embrasse,
Lilian

Paul Couret

5 rue Cazals

31500 Ondes

_____

[L'IMPARFAIT DES VERBES IMPERSONNELS] p. 126

3 Complétez avec *c'était*, *il y avait* ou *il faisait*.

De : annie@mimail.fr

À : marion@web.fr

Objet : Des nouvelles

Salut Marion,

Comment ça va ? Qu'est-ce que tu as fait ce week-end ? Moi, je suis allée au festival de la BD d'Angoulême.

.... du monde, mais .... génial. On a rencontré plein de dessinateurs.

Et hier, on est allé au château de la Rochefoucauld : .... des costumes d'époque magnifiques.

On est aussi allé au marché, ... super !

.... beaucoup de spécialités régionales, mais

.... très froid : on a bu du chocolat chaud pour se réchauffer !

À bientôt,

Annie

[L'IMPARFAIT DES VERBES IMPERSONNELS] p. 126

4 Transformez les phrases à l'imparfait.
Exemple : *Il y a des touristes en janvier ?* → ***Il y avait** des touristes en janvier ?*

a. C'est beau ici. → ....

b. Il y a du monde dans ce marché. → ....

c. Il fait trop chaud. → ....

d. C'est bien la Belgique. → ....

e. Il y a un musée fantastique. → ....

f. Il fait très mauvais en Bretagne. → ....

 **Communication**

[EXPRIMER UNE ÉMOTION, UNE SENSATION] p. 125 et 126 cd 53

Écoutez et associez les images aux phrases.

a. ....
b. ....
c. ....
d. ....
e. ....
f. ....

Vocabulaire

[À L'AÉROPORT] p. 127

1 Placez correctement les mots sur le dessin : *le décollage – l'embarquement – le panneau des départs / arrivées – la piste – le terminal – la tour de contrôle.*

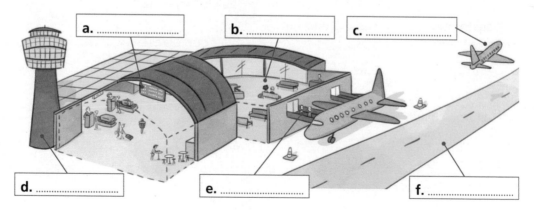

a. ....
b. ....
c. ....
d. ....
e. ....
f. ....

[DES ÉMOTIONS] p. 127

2 a. **Associez les photos aux émotions.**

1. fatigue **2.** angoisse **3.** décontraction **4.** joie **5.** excitation

b. **Trouvez l'adjectif à partir du nom.**

a. L'angoisse → ....

b. La décontraction → ....

c. L'excitation → ....

d. La fatigue → ....

e. La joie → ....

Phonétique

[LES SONS [wa]/[wɛ̃]] p. 122

1 **Lisez les phrases et dites combien de [wa] et de [wɛ̃] il y a dans chaque phrase. Écoutez pour vérifier puis répétez.**

cd
54

a. Benoît voyage en voiture très loin avec moi.   [wa] = ... [wɛ̃] = ...

b. Éloi choisit de venir à Troyes avec toi.   [wa] = ... [wɛ̃] = ...

c. Au coin des affaires, j'ai trouvé des accessoires de toilette. [wa] = ... [wɛ̃] = ...

d. Il fait froid et tu as besoin d'un maillot de bain ?   [wa] = ... [wɛ̃] = ...

e. Tourcoing est moins joyeuse le soir que Lille.   [wa] = ... [wɛ̃] = ...

f. Je reçois une carte postale de Pointe-à-Pitre.   [wa] = ... [wɛ̃] = ...

[LES SONS [k]/[g]] p. 128

**2 Écoutez les phrases et dites si vous entendez [k] ou [g].
Puis répétez les phrases avec la transcription page 127.** cd 55

	a.	b.	c.	d.	e.	f.
[k]						
[g]						

[LES SONS [k]/[g]] p. 128

**3 Écoutez et écrivez « cc », « c », « cqu », « qu », « gu », « k » ou « g ».
Puis lisez les phrases à voix haute.** cd 56

a. À ....elle heure est l'embar..............ement ?

b. Ja..............es a pris mon ....ide des sou..............s.

c. Il y a un par..............in.............. dans le centre de Marra..............ech.

d. Pour..............oi est-ce ....e tu fais des va..............ins ?

e. Il est fati..............é et an..............oissé, il a besoin de va..............ances.

f. Tu es parti au Séné..............al sans ....rème solaire ?

📖 Compréhension écrite

Lisez le texte et répondez aux questions.

Dormir dans la nature pendant les vacances : c'est possible !

Quel hébergement choisir pour passer des vacances originales en France sans voyager très loin ? La région Midi-Pyrénées propose plusieurs types d'hébergement pour sortir du quotidien, à choisir selon vos goûts et vos préférences…

1 Cabane dans les arbres :
110 euros la nuit
pour 1 à 4 personnes.

Génial avec
des enfants !

2 Yourte :
150 euros la nuit
pour 1 à 5 personnes.

Parfait pour toute
la famille !

3 Roulotte de charme :
69 euros la nuit
pour 1 à 5 personnes.

Ça plaît beaucoup
aux amoureux…

4 Tipi :
45 euros la nuit
pour 1 ou 2 personnes.

Super pour un
week-end en solitaire !

1 De quoi parle l'article ?

○ De location d'appartement.

○ De vacances en ville.

○ D'hébergements pour les vacances.

2 Quels types d'hébergement sont proposés ?

○ Des auberges de jeunesse.

○ Des hôtels.

○ Des hébergements dans la nature.

3 Complétez le tableau.

Hébergements	Prix	Public
Cabane dans les arbres	*110 euros*	*En famille*

4 Quel hébergement plaît beaucoup aux enfants ?

....

....

Production écrite

Vous venez de lire l'article sur les hébergements de vacances originaux. Vous écrivez à un(e) ami(e) : vous les comparez et vous donnez votre préférence. (40 à 60 mots)

Détente

QUIZ SPÉCIAL VACANCES

a. Pour vous, les vacances, c'est :
☐ aller à la plage.
○ visiter des musées.
◇ faire des balades.

**b. Pour partir en vacances,
il ne faut jamais oublier :**
◇ son appareil photo.
☐ sa crème solaire.
○ son ordinateur.

c. Vous préférez :
◇ un camping.
○ un hôtel *****
☐ une auberge.

d. Vous aimez les endroits :
◇ calmes.
○ animés.
☐ confortables.

**e. Quels services sont importants
pour vous en vacances ?**
◇ Un jardin.
○ Le wifi.
☐ La piscine.

f. En vacances, vous préférez :
☐ manger un sandwich.
◇ faire un pique-nique.
○ aller au restaurant.

g. En vacances, vous portez plutôt :
☐ maillot de bain et tongs.
○ costume et petite robe noire.
◇ short et chaussures de marche.

Vous avez :
Plus de ☐ : vous aimez la plage/l'eau et la détente.
Plus de ◇ : vous aimez la nature et les choses simples.
Plus de ○ : vous aimez la ville, les monuments et sortir.

PAS DE CHANCE !

 **Grammaire**

[LE PASSÉ COMPOSÉ DES VERBES PRONOMINAUX] p. 133

1 Dans chaque phrase, il manque un mot : trouvez-le.

a. Tu .... es souvenu du rendez-vous !

b. Nous .... sommes perdus dans la ville.

c. .... se sont réveillées à 8 heures.

d. Elle .... est excusée pour son retard.

e. Je me .... occupé des enfants.

[LE PASSÉ COMPOSÉ DES VERBES PRONOMINAUX] p. 133

2 Qu'est-ce que Clément et Mikaël ont fait ? Écrivez des phrases à partir des images. Utilisez les expressions suivantes au passé composé : *se retrouver dans un endroit inconnu – se promener dans le parc – s'excuser pour son retard – se perdre – bien s'amuser.*

a. ....

....

....

....

....

....

b. ....

....

....

....

....

....

c. ....

....

....

....

....

....

[L'OBLIGATION ET L'INTERDICTION (2)] p. 134

3 Conjuguez les verbes pour compléter les règles.

a. Les piétons aussi (devoir) .... respecter le code de la route.

b. Il (ne pas falloir) .... rester au milieu de la route.

c. Vous (devoir) .... traverser sur le passage piéton.

d. Nous (devoir) .... marcher sur le trottoir.

e. Tu (ne pas devoir) .... jouer au ballon sur la route.

f. À vélo, il (falloir) .... porter un casque.

[L'OBLIGATION ET L'INTERDICTION (2)] p. 134

4 Écrivez des interdictions à respecter dans une salle de cinéma.

Exemple :

parler → *Il ne faut pas parler.*

Au cinéma

a. *tu/courir* → ....

b. *manger* → ....

c. *nous/prendre des photos* → ....

d. *fumer* → ....

e. *vous/téléphoner* → ....

Communication

[SE PLAINDRE/PLAINDRE QUELQU'UN] p. 132

Votre amie Martine a des soucis, utilisez différentes expressions pour la plaindre.

a. Ma voiture est en panne !

→ ....

b. Le métro est en grève !

→ ....

c. Je suis arrivée en retard au travail !

→ ....

d. J'ai oublié notre rendez-vous !

→ ....

e. J'ai perdu mon téléphone !

→ ....

 **Vocabulaire**

[LES PETITS PROBLÈMES DU QUOTIDIEN, LES ÉMOTIONS] p. 135

1 Écoutez. Quelle émotion ces personnes expriment ? Cochez. cd 57

	a.	b.	c.	d.
en colère				
surpris(e)				
triste				
paniqué(e)				

[LES PETITS PROBLÈMES DU QUOTIDIEN, LES ÉMOTIONS] p. 135

2 Trouvez le nom de l'émotion.

Exemple : *Je suis inquiet.* → *L'inquiétude.*

a. Je suis déçu. → ....

b. Je suis paniqué. → ....

c. Je suis stressé. → ....

d. Je suis triste. → ....

e. Je suis étonné. → ....

f. Je suis surpris. → ....

[LES PETITS PROBLÈMES DU QUOTIDIEN, LES ÉMOTIONS] p. 135

3 Complétez la journée de Léa avec les mots suivants : *en retard – raté – embouteillages – en panne – stressée – oublié – grève.*

Ce matin, Léa a .... son train. Il y avait une ....
de bus, alors elle a pris sa voiture. Elle est arrivée .... au travail.
Elle a été .... toute la journée. Elle a .... un
rendez-vous. Le soir, il y a eu des .... et sa voiture est tombée
.... devant sa maison. Quelle journée !

Grammaire

[LES PRONOMS COI *LUI* ET *LEUR*] **p. 139**

1 Lisez les phrases et indiquez quand vous pouvez remplacer le complément par *lui* ou *leur*.

Exemple : *Aïe, j'ai mal <u>à la jambe</u> !* →   ○ lui   ○ leur   ● On ne peut pas.

a. Il a parlé <u>à la pharmacienne</u>. →   ○ lui   ○ leur   ○ On ne peut pas.

b. J'ai acheté <u>un médicament</u>. →   ○ lui   ○ leur   ○ On ne peut pas.

c. Nous avons dit bonjour <u>aux infirmières</u>. →   ○ lui   ○ leur   ○ On ne peut pas.

d. Le docteur propose un sirop <u>à Pierre</u>. →   ○ lui   ○ leur   ○ On ne peut pas.

e. Il connaît <u>ton médecin</u>. →   ○ lui   ○ leur   ○ On ne peut pas.

[LES PRONOMS COI *LUI* ET *LEUR*] **p. 139**

2 Complétez par *lui* ou *leur*.

Exemple : <u>Patrick</u> *va à la pharmacie et le pharmacien **lui** conseille une pommade.*

a. Il faut aller voir <u>le pharmacien</u> et .... demander un sirop.

b. J'accompagne <u>Stéphanie et Alexandre</u> à l'hôpital, je .... présente le médecin.

c. Nous connaissons <u>le médecin</u>, nous .... expliquons le problème.

d. Tu vas voir <u>les infirmières</u> et tu .... demandes une aspirine.

e. Le médecin conseille un médicament <u>à Alexandre</u>, il .... écrit le nom du médicament.

[LES PRONOMS COI *LUI* ET *LEUR*] **p. 139**

3 Répondez aux questions et remplacez les mots soulignés par *lui* ou *leur*.

Exemple : – *Patrick est tombé de vélo. Vous proposez de l'aide <u>à Patrick</u> ?*
→ – *Oui, je **lui** propose de l'aide.*

a. – Vous posez des questions <u>aux médecins</u> ? → – Oui, ...

....

b. – Vous dites <u>à Patrick</u> de venir à l'hôpital ? → – Non, ...

....

c. – Vous téléphonez <u>au pharmacien</u> ? → – Non, ...

....

d. – Vous annoncez le problème <u>aux parents de Patrick</u> ? → – Oui, ...

....

e. – Vous racontez le problème <u>aux amis de Patrick</u> ? → – Non, ...

....

[LE CONSEIL] p. 140

4 Lisez les problèmes de ces personnes et écoutez les conseils. Associez un conseil au problème correspondant.

cd
58

a. J'oublie mes rendez-vous. → conseil n° ....

b. Je rate toujours le train. → conseil n° ....

c. La voiture est en panne. → conseil n° ....

d. Le métro est en grève. → conseil n° ....

e. Je suis stressé(e). → conseil n° ....

f. Pierre a mal à la tête. → conseil n° ....

 Communication

[PARLER DE L'ÉTAT DE SANTÉ] p. 138 ,
[DEMANDER / DIRE COMMENT ON SE SENT] p. 140

Emma téléphone à Lise : elle ne peut pas venir à son rendez-vous. Remettez leur dialogue dans l'ordre.

a. Emma : À la tête et dans tout le corps.

b. Emma : Allô, bonjour, c'est Emma. Excuse-moi, mais je ne peux pas venir. Je ne me sens pas bien.

c. Emma : Je ne sais pas, je n'ai pas de thermomètre.

d. Emma : Non, je suis malade, ne viens pas !

e. Emma : Oui, très fatiguée. Je ne peux pas me lever.

f. Lise : Moi, j'en ai un. Je peux te l'apporter ? Je peux venir te voir ?

g. Lise : Bonjour Emma ! Qu'est-ce qui t'arrive ? Tu es fatiguée ?

h. Lise : Tu as de la fièvre ?

i. Lise : Tu ne peux pas bouger ? Ma pauvre ! Tu as mal où ?

1	2	3	4	5	6	7	8	9
b								

 **Vocabulaire**

[LE CORPS ET LA SANTÉ] p. 141

1 Écoutez les dialogues et associez-les aux images.

 cd 59

Dialogue n° .....   Dialogue n° .....   Dialogue n° .....

[LE CORPS ET LA SANTÉ] p. 141

2 Où avez-vous mal, Willy ? Complétez les phrases avec des parties du corps.

Exemple : *Willy a beaucoup mangé ce midi.* → *Il a mal au **v**entre*.

a. Willy a marché sous la pluie sans manteau et sans parapluie.

→ Il a mal à la g............................, aux o.............................. et il a le n..............................
rouge.

b. Willy a couru un marathon.

→ Il a mal aux j............................, aux p.............................., aux b.............................. : il a mal
partout !

c. Willy a travaillé très tard sur son ordinateur et il n'a pas dormi.

→ Il a mal aux y............................, au d.............................. et à la t.............................. !

[LE CORPS ET LA SANTÉ] p. 141

3 Qu'est-ce que c'est ? Devinez.

Exemple : *Il mesure la fièvre.* → *le thermomètre*

a. C'est rond, c'est blanc, c'est petit et c'est dans l'armoire à pharmacie.

→ ....

b. Elle vend les médicaments. → ....

c. Les yeux et la bouche sont sur cette partie du corps. → ....

d. On l'achète en tube et on la met sur la jambe, les bras… → ....

e. Ils sont 10 et ils touchent tout. → ....

Phonétique

[LES SONS [ʃ]/[ʒ]] p. 136

**1 Écoutez et dites pour chaque phrase si [ʃ] est avant ou après [ʒ].
Puis regardez la transcription page 128 et répétez les phrases.**

cd 60

	a.	b.	c.	d.	e.	f.
[ʃ] / [ʒ]						
[ʒ] / [ʃ]						

[LES SONS [ʃ]/[ʒ]] p. 136

2 Écoutez et complétez les phrases.

cd 61

a. Regarde tes .... ! Ils sont plein de ....

b. Vous avez .... eu un .... ?

c. ...., je vais en .... pour la première fois.

d. – Il a un .... qui porte .... ?

– Oui, un .... porte-bonheur ....

e. Ta .... fait encore mal ? .... de médecin !

[L'ENCHAÎNEMENT CONSONANTIQUE] p. 142

3 Lisez les phrases. Barrez les lettres non prononcées pour faire l'enchaînement. Puis écoutez pour vérifier. cd 62

Exemple : *La malade a soixante et onze ans.* → *La malad¢ a soixant¢ et onz¢ ans.*

a. Le docteur mange avec nous ? ou avec une amie ?

b. Madame, n'oubliez pas votre aspirine. Elle est là !

c. C'est un trèfle à quatre feuilles.

d. Il habite au treize avenue de la Chance.

e. Notre ami est triste. Je l'invite au restaurant.

 Compréhension orale

Journée difficile…

Écoutez et répondez aux questions. cd 63

1 C'est…
O le matin.   O le midi.   O le soir.

2 Simon…
O a oublié le rendez-vous.
O est arrivé en retard.
O a perdu son téléphone.

3 Pourquoi Simon n'est pas content ?
O Parce que son amie n'est pas au café.
O Parce qu'il a eu des problèmes au travail.
O Parce qu'il est malade.

4 Cela lui porte malheur…
O Rater son train.
O Les chats noirs.
O Ses collègues.

5 Son amie…
O est triste.
O lui donne un conseil.
O part du café.

Production orale

[JEUX DE RÔLE]

À deux. Choisissez la fiche A ou B. Posez des questions à votre voisin(e) et complétez votre fiche.

Apprenant A

Vous êtes médecin, une personne malade vient vous voir. Posez des questions pour compléter la fiche de renseignements. Puis, à partir des réponses, donnez des conseils à votre patient : *il faut, il ne faut pas…*

> **Fiche du patient**
>
> Nom : .... Prénom : ....
>
> Poids : .... Taille : ....
>
> Se sent fatigué(e) : oui / non   Stressé(e) : oui / non
>
> Pourquoi ? ....
>
> Il/Elle a de la fièvre : oui / non
>
> Il/Elle a mal à ....
>
> Il/Elle dort bien : oui / non
>
> Combien de repas par jour ? ....
>
> Il/Elle fait du sport : oui / non
>
> Il/Elle boit assez d'eau : oui / non

....
....
....
....
....
....

Conseils du médecin :

Vous êtes le malade. Vous répondez aux questions du médecin. Puis vous écrivez les conseils du médecin pour ne pas les oublier.

Apprenant B

Préparation au DELF A1 **Compréhension des écrits**

[STRATÉGIES] p. 46

Vous recevez ce SMS. Lisez le message et répondez aux questions.

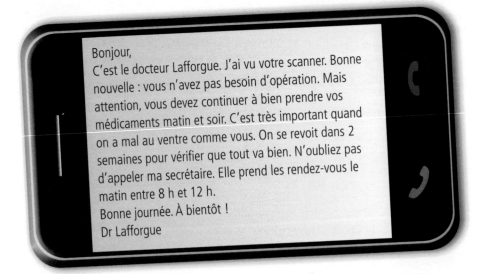

Bonjour,
C'est le docteur Lafforgue. J'ai vu votre scanner. Bonne nouvelle : vous n'avez pas besoin d'opération. Mais attention, vous devez continuer à bien prendre vos médicaments matin et soir. C'est très important quand on a mal au ventre comme vous. On se revoit dans 2 semaines pour vérifier que tout va bien. N'oubliez pas d'appeler ma secrétaire. Elle prend les rendez-vous le matin entre 8 h et 12 h.
Bonne journée. À bientôt !
Dr Lafforgue

1 Le médecin vous écrit pour…
O annuler un rendez-vous.
O vous demander d'aller aux urgences.
O vous donner une information.

2 Qu'est-ce que vous devez faire ?
O Acheter un médicament.
O Continuer à prendre vos médicaments.
O Arrêter de prendre vos médicaments.

3 Vous devez retourner chez le médecin quand ?

....

4 Vous pouvez prendre rendez-vous…

O par mail   O par SMS   O par téléphone

5 Vous pouvez prendre rendez-vous quand ?

....

BEAU TRAVAIL !

Grammaire

[LA CONDITION AVEC *SI*] p. 147

1 Quelle est la condition ? Reliez pour former des phrases.

a. Si Lili participe au programme Erasmus+,

b. Si Farah parle allemand,

c. S'il obtient sa licence,

d. Si Clara et Simon veulent réussir leur examen,

e. Si je suis inscrit à l'université,

f. Si vous voulez vous inscrire,

1. vous devez remplir le dossier !

2. ils doivent étudier.

3. elle peut recevoir une bourse.

4. je peux prendre des livres à la bibliothèque universitaire.

5. il peut s'inscrire en master.

6. elle peut étudier en Autriche.

[LA CONDITION AVEC *SI*] p. 147

2 Lisez les conseils de Matthieu pour réussir aux examens et transformez les phrases comme dans l'exemple : *Il faut bien dormir.* – *Il faut bien manger.* – *Il faut bien étudier.* – *Il faut s'entraîner.* – *Il faut participer aux cours.* – *Il faut avoir le bon matériel.*

Les conseils de Matthieu

Vous pouvez réussir vos examens :

a. → *si vous dormez bien.*

b. → ....

c. → ....

d. → ....

e. → ....

f. → ....

[LA DURÉE, LA CONTINUATION] p. 148

3 **Complétez le dialogue avec *toujours, pendant* et *longtemps*.**

Nora : Salut Clarissa ! Je suis Nora, nous avons été ensemble ....

deux ans en licence de mathématiques !

Clarissa : Salut Nora ! Alors, qu'est-ce que tu fais maintenant ?

Nora : J'étudie .... les mathématiques. Et toi ?

Clarissa : J'ai étudié l'économie .... deux ans et j'ai passé

un concours pour être professeur.

Nora : Ah ! J'ai pensé .... à passer un concours. Mais

.... mon master, j'ai découvert le métier de chercheur.

Clarissa : Tu prépares .... un diplôme ?

Nora : Oui, un doctorat.

[LA DURÉE, LA CONTINUATION] p. 148

4 **Indiquez si l'action continue dans le présent.** cd 64

	a.	b.	c.	d.	e.	f.
Action à durée limitée	X					
Action continue dans le présent						

Communication

[PARLER DE SES ÉTUDES] p. 147 , **[EXPRIMER UN BUT]** p. 148

Voici cinq personnes. Faites leur portrait : écrivez leur présentation, comme dans l'exemple.

Marianne Licence de droit Objectif : devenir avocate	Jonas Université Jean Jaurès Objectif : le plaisir d'apprendre
a. *Marianne est en licence de droit. Elle étudie pour devenir avocate.*	**b.** ....

Lola Master de chimie Objectif : travailler en laboratoire	Soraya Université du Québec à Laval Objectif : faire de la recherche
c.	d. ....
Bacary Diplôme de chinois Objectif : son travail	Et vous ?
e.	f. ....

Vocabulaire

[L'UNIVERSITÉ, LES ÉTUDES] p. 149

1 **Entourez la bonne réponse.**

Étudiante : Bonjour, je viens pour m'inscrire.

Secrétaire : Bonjour ! Vous voulez préparer quel (diplôme / discipline / secrétariat) ?

Étudiante : Un master.

Secrétaire : Dans quelle (professeur / diplôme / discipline) ?

Étudiante : En sociologie.

Secrétaire : Alors, je vous donne le (dossier / professeur / secrétariat). Vous devez le remplir et le remettre au (diplôme / secrétariat / professeur) de sciences sociales.

Étudiante : Et quand est-ce que j'ai la liste des (disciplines / professeurs / dossiers) ?

Secrétaire : Après l'inscription administrative.

95

[LE CAMPUS] p. 149

2 Regardez le plan du campus et répondez aux questions.

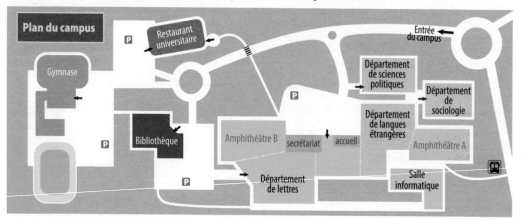

a. Où est-ce que je peux déjeuner le midi ? → *Tu peux déjeuner le midi…* ....

....

b. Où est-ce que je peux trouver des livres ? → ....

....

c. Amélie étudie les langues, où est-ce que je peux la retrouver ? → ....

....

d. Où est-ce que je peux faire du sport ? → ....

....

e. Quelle est la salle de cours à côté du secrétariat ? → ....

....

 Grammaire

[LES PRONOMS RELATIFS *QUI* ET *QUE*] p. 153

1 Soulignez le pronom relatif correct.

Exemple : *La médecine est un cursus (qui / que / qu') est long.*

a. Martin a le diplôme (qui / que / qu') est nécessaire à son inscription en master.
b. C'est le dossier (qui / que / qu') je t'ai envoyé hier.
c. Voici le professeur (qui / que / qu') Armelle adore.
d. Jean Nouvel est le secrétaire (qui / que / qu') m'a aidé à m'inscrire.
e. Prends le livre (qui / que / qu') je t'ai donné.

[LES PRONOMS RELATIFS *QUI* ET *QUE*] p. 153

2 Reliez les éléments pour faire des phrases.

a. J'ai choisi un cursus qui   •   • **1.** j'ai rencontré à la fac.

b. Je te présente Francisco que   •   • **2.** est très demandée.

c. Elle suit des cours qui   •   • **3.** lui plaisent.

d. L'informatique est une spécialité qui •   • **4.** est court.

e. Quelles sont les matières que   •   • **5.** ont lieu le matin.

f. Marion fait les études qui   •   • **6.** tu préfères ?

[L'INTENSITÉ] p. 154

3 Avant ou après ? Placez les adverbes entre parenthèses à la bonne place.

Exemple : *Tu .... études .... : repose-toi ! (trop)*

→ *Tu étudies **trop** : repose-toi !*

a. Je connais cet étudiant ! Il est .... sympa .... (très)

b. C'est un examen .... compliqué .... (assez)

c. Je .... lis .... et j'arrive ! (un peu)

d. La sociologie est une discipline .... large .... (très)

e. Je .... travaille .... pour préparer mon diplôme. (beaucoup)

f. Marie .... parle .... quand elle est stressée. (peu)

[L'INTENSITÉ] p. 154

4 Complétez les phrases avec *très* ou *beaucoup*.

Exemple : *Anna lit .... → Anna lit **beaucoup**.*

a. Je suis .... content de mes résultats.

b. Il a passé une .... bonne année.

c. Mon professeur enseigne .... à l'étranger.

d. Le secrétaire du département est .... rapide.

e. Il écrit .... pour préparer son dossier.

f. C'est .... important de parler des langues étrangères.

Communication

[EXPRIMER UNE CAPACITÉ, UN SOUHAIT OU UN PROJET PROFESSIONNEL] p. 153

Écoutez Olivier et dites s'il parle d'un projet ou d'une compétence. cd 65

	a.	b.	c.	d.	e.	f.	g.
Projet							
Compétence							

A à z Vocabulaire

[L'ENTREPRISE, LA VIE PROFESSIONNELLE] p. 155

1 Écoutez le dialogue et complétez l'organigramme. cd 66

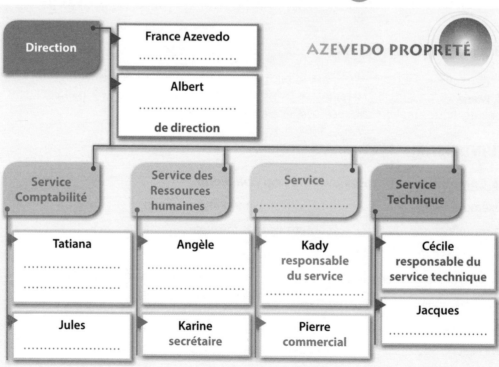

Direction

France Azevedo
....

Albert
....
de direction

AZEVEDO PROPRETÉ

Service Comptabilité

Service des Ressources humaines

Service ....

Service Technique

Tatiana
....
....

Angèle
....

Kady
responsable
du service
....

Cécile
responsable du
service technique

Jules
....

Karine
secrétaire

Pierre
commercial

Jacques
....

[L'ENTREPRISE, LA VIE PROFESSIONNELLE] p. 155

2 Complétez la présentation d'Albert avec les mots suivants : *service –*
réunions – stage – s'organiser – équipe – secrétaire.

a. Je m'appelle Albert, je travaille à Azevedo Propreté

comme .... de direction.

b. Pendant mes études d'économie, j'ai fait un

.... à Azevedo Propreté.

c. France m'a recruté pour travailler dans son

.... : la direction.

d. J'organise des ...., je prépare des dossiers et j'écris des rapports.

e. Pour ce poste, il faut savoir bien écrire, ... et surtout

travailler en ....

Phonétique

[PRONONCER [R]] p. 150

**1 Entraînez-vous à prononcer le [R]. Lisez les phrases à voix haute.
Puis écoutez pour vérifier votre prononciation.**

cd 67

a. Atelier des métiers : voici le dossier à envoyer.
b. Le concours pour les futurs ingénieurs dure plusieurs jours.
c. Aux portes ouvertes, on parle de la carte d'étudiant et des bourses.
d. L'Erasmus+ est une expérience intéressante qui m'encourage.
e. Je découvre un projet professionnel en Grèce.
f. J'ai rencontré le responsable du réseau en Roumanie.

[LES SONS [t]/[d]] p. 156

**2 Écoutez et dites si les phrases sont identiques (=) ou différentes (≠).
Puis répétez les phrases à l'aide de la transcription page 128.**

cd 68

	a.	b.	c.	d.	e.	f.
=						
≠						

[LES SONS [t]/[d]] 📖 p. 156

3 Écoutez et écrivez « tt », « th », « t » ou « d ».
(Il y a des « t » qui ne se prononcent pas !) 🎧 cd 69

a. A.........en.........ion, pendan.......... les vacances la biblio.........èque ferme à 17 heures.

b. À gauche, nous ....écouvrons l'a.........minis.........ra.........ion puis

le ....épar.........emen......... de langues.

c. Si ma can.........i.........a.........ure es......... accep.........ée, je fais un ....oc.........ora......... .

d. ....ans l'amphi.........éâ.........re Balzac, il y a ....oujours les cours ....e

li.........éra.........ure.

e. Pour son ....iplôme en mé.........ecine, il est par.........i à Nan.........es.

f. L'archi.........ec.........e qui a ....essiné ce s.........a.........e ....ravaille à l'é.........ranger.

📖 **Compréhension écrite**

Lisez le document et répondez aux questions.

13/06/2016

COMPTABLE (F/H)

Ville : **Grenoble**
Salaire : **1 900 € brut mensuel**
Date de début : **2 mai 2016**

⬎ Si vous avez envie de travailler dans une start-up
de plus de 100 personnes,

⬎ Si vous cherchez une première expérience pour une carrière
dans le secteur de la vente,

⬎ Si vous êtes motivé pour travailler dans une entreprise jeune
et très dynamique,

Ohlala.fr est fait pour vous !

Nous vendons des produits électroménagers en France et à l'étranger
et nous recherchons des personnes motivées, capables de : parler une
langue étrangère, travailler en équipe et bien écrire.

Envoyez votre CV à : rh@ohlala.fr

Vrai ou faux ? Lisez l'offre d'emploi et cochez.

	Vrai	Faux
a. Le salaire indiqué est pour un mois.		
b. L'entreprise propose un service de vente.		
c. Le début du contrat est le 13 janvier 2016.		
d. L'entreprise se trouve à Paris.		
e. Il faut avoir de l'expérience pour travailler à <u>ohlala.fr</u>.		
f. Il faut parler une langue étrangère pour travailler à <u>ohlala.fr</u>.		

Production écrite

Vous cherchez un(e) professeur(e) de français. Écrivez une annonce.

...... / ...... / ......

.... (F/H)

Ville : ....

Salaire : ....

Date de début : ....

↘ Si ....

↘ Si ....

↘ Si ....

....

Compétences recherchées : ....

....

....

Contact : ....

Détente

Lisez les définitions, regardez les images et complétez la grille de mots croisés. Pour les mots **a** et **c** qui sont dans la grille, écrivez les définitions correspondantes.

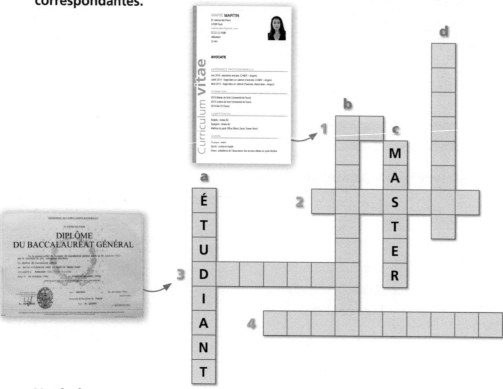

Vertical

a. C'est ....

....

....

b. C'est un employé de l'université qui fait de la recherche.

c. C'est ....

....

....

d. C'est une personne qui travaille avec moi.

Horizontal

1.

2. C'est un programme d'échange qui permet d'étudier dans une université étrangère.

3.

4. C'est la personne que j'appelle pour prendre un rendez-vous avec la directrice.

AU GRAND AIR

Grammaire

[LA COMPARAISON (2) : *PLUS DE (… QUE), MOINS DE (… QUE)*] p. 161

1 Complétez les phrases avec les mots suivants : *plus de/plus… que – moins de/moins… que.*

Exemple : *J'ai **plus de** temps libre à la campagne. (+)*

a. Les grandes villes sont .... polluées .... les petites villes. (+)

b. La campagne, c'est .... déprimant .... la ville. (-)

c. Les grandes villes proposent .... loisirs. (+)

d. En ville, on passe .... temps dans les transports en commun. (+)

e. À la campagne, les logements sont .... chers .... en ville. (-)

[LA COMPARAISON (2) : *PLUS DE (… QUE), MOINS DE (… QUE)*] p. 161

2 Comparez comme dans l'exemple.

Exemple : *Léo (+) / Lison / être au grand air → Léo est plus au grand air que Lison.*

a. Salomé (-) / Jules / profiter de la nature → ....

....

b. Baptiste (-) / Margot / être stressé par la ville → ....

....

c. La vie de Théo (+) / la vie de Ninon / être calme → ....

....

d. Jeanne (+) / Léa / prendre les transports en commun → ....

....

e. Louis (+) / Lily / être proche de la nature → ....

....

[LE PRONOM COI Y] p. 162

3 Associez les questions aux réponses. Puis soulignez dans les questions les éléments que *y* remplace.

a. Tu penses à ton nouveau projet ? •

b. Vous faites attention à votre rythme de vie ? •

c. Tu crois à ta nouvelle vie ? •

d. Vous avez réfléchi à aller vivre à la campagne ? •

e. Vous pensez à tout quitter ? •

• **1.** Oui, j'y crois.

• **2.** Non, nous n'y pensons pas.

• **3.** Oui, j'y pense.

• **4.** Non, nous n'y faisons pas attention.

• **5.** Non, nous n'y avons pas réfléchi.

[LE PRONOM COI Y] p. 162

4 Réécrivez les phrases : remplacez les informations soulignées par *y*.

a. Je pense <u>à mon changement de vie</u>.

→ ....

b. Nous réfléchissons <u>à notre déménagement</u>.

→ ....

c. Il croit <u>à son nouveau projet</u>.

→ ....

d. Marie et Marc font attention <u>à leur environnement</u>.

→ ....

e. Vous vivez <u>à la campagne</u>.

→ ....

[LE PRONOM COI Y] p. 162

5 Écoutez et répondez aux questions. Utilisez *y* dans vos réponses.

a. Oui, ...

b. Non, ...

c. Non, ...

d. Oui, ...

e. Oui, ...

Communication

[EXPRIMER SON INSATISFACTION] **p. 161** ,
[EXPRIMER UNE DÉCISION, UN CHOIX DE VIE] **p. 162**

Complétez le forum avec les expressions suivantes : *j'ai déménagé –
ce n'est pas mon truc – avons recommencé à zéro – je me sens triste –
j'ai décidé d' – je ne regrette pas – j'en ai assez de.*

Changer de vie !

Noemi64 : .... la ville. C'est trop déprimant.
....

Rémi64 : Moi, la ville .... !
.... habiter à la campagne !

Emilie13 : Bonjour Noémi, ... à la campagne
il y a six mois. .... mon choix.

Fabia64 : Bonjour ! Tout quitter, nous y avons longtemps réfléchi… Et puis,
ma famille et moi .... Maintenant, nous avons
une belle maison avec un jardin. J'ai aussi changé de métier.

 **Vocabulaire**

[LA VILLE ET LA CAMPAGNE] p. 163

1 Écoutez le message de Nathan laissé sur le répondeur de son ami Quentin. Cochez les inconvénients de la vie de Nathan. cd 71

> ### Liste des inconvénients
>
> ○ Prix élevés
> ○ Temps de transport
> ○ Pollution
> ○ Rythme de vie
> ○ Grisaille
> ○ Petit logement

[LA VILLE ET LA CAMPAGNE] p. 163

2 Complétez le texte avec les mots suivants : *déprimant – jardin – appartement – maison – stressante – citadin – centre-ville – ville – agréable.*

Antoine est un ...., il habite dans le

.... d'Amiens, dans le nord de la France. Il vit dans un

....

Il travaille beaucoup et sa vie est très .... La grisaille

du nord : c'est .... !

Antoine rêve de quitter la .... et de s'installer dans une

.... avec un .... C'est plus

.... !

 **Grammaire**

[LES ARTICLES CONTRACTÉS (RAPPEL)] p. 167

1 Soulignez l'article qui convient.
Exemple : *Je vais (au / <u>à la</u> / à l') montagne.*

a. Je cueille (de la / de l' / des) fleurs.

b. Je m'occupe (de l' / des / du) animaux.

c. Je joue (au / aux / à la) foot.

d. Il fait (de l' / des / du) vélo.

e. (À la / Au / À l') campagne, nous cultivons (du / des / au) fruits.

f. Je vis (au / à l' / à la) mer et je fais (du / de l' / de la) planche à voile.

[LES ARTICLES CONTRACTÉS (RAPPEL)] p. 167

2 Reliez les mots des trois colonnes pour former des phrases.

a. Jean-Lin élève ●	● du ●	● chèvres.
b. Marie fait ●	● de la ●	● escalade.
	● de l' ●	
c. Le jardinier s'occupe ●	● des ●	● jardin.
d. Arnaud et Clément sont allés ●	● au ●	● pêche.
	● à la ●	
e. Tous les dimanches, nous jouons ●		● basket.
	● à l' ●	
f. Nous habitons au bord ●	● aux ●	● mer.

[LA COMPARAISON (3) : L'ÉQUIVALENCE] p. 168

3 Complétez les phrases avec *le / la / le(s) même(s), pareil(s), pareille(s), aussi... que.*

a. Nous jouons au foot avec .... copains.

b. Ma cuisine est .... grande .... mon salon.

c. Nos chambres sont ....

d. Louis et Salomé vont dans .... école.

e. La chambre de Noémie est .... petite .... la chambre de Christophe.

Communication

[DÉCRIRE SON MODE DE VIE] p. 167

Associez les sons aux images et décrivez le mode de vie de Léa.

cd
72

....

....

....

Vocabulaire

[LA NATURE] p. 169

1 Retrouvez le nom des lieux et associez un loisir à un lieu : *se baigner – faire de la randonnée – pêcher – camper – faire du ski – faire de la voile – faire de l'escalade.* (plusieurs réponses possibles)

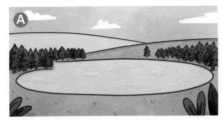

	A :	B :	C :	D : ....
Loisirs	....	....	....	....

[LA NATURE] p. 169

2 Entourez l'intrus.

a. arroser – le jardinier – cueillir – récolter – skier

b. le marronnier – la marguerite – la bergère – le peuplier – la tulipe

c. l'agriculteur – le berger – le coiffeur – l'éleveur – le maraîcher

d. le lac – le parc – la plage – le chat – la forêt

[LES ANIMAUX] p. 169

3 Remettez les lettres dans l'ordre et trouvez le nom des animaux.

a. L – E – P – U – O : ....

b. I – N – C – E – H : ....

c. T – M – O – N – U – O : ....

d. H – E – V – C – L – A : ....

e. S – O – E – I – A – U : ....

f. A – P – L – N – I : ....

Phonétique

[LES SONS [p]/[b]] p. 164

1 Écoutez les mots et avancez dans le labyrinthe. Dessinez une flèche qui monte (↑) pour un mot avec le son [p] et une flèche qui va vers la droite (→) pour un mot avec le son [b]. Puis écoutez de nouveau et répétez les mots.

 cd 73

Arrivée ▼

b. →					
a. ↑					

▲ Départ

[LES SONS [p]/[b]] p. 164

cd 74

2 Écoutez les phrases et écrivez le mot qui contient [p] ou/et [b].
Exemple : *J'habite dans un quartier moderne.* → *J'habite.*

a. ....   **d.** ....

b. ....   **e.** ....

c. ....   **f.** ....

[L'ENCHAÎNEMENT VOCALIQUE] p. 170

cd 75

3 Écoutez les phrases et comptez les enchaînements vocaliques.
Puis lisez la transcription page 129.
Exemple : *Nous allons au bord de la mer.* → *Nous all**ons_au** bord de la mer.*
= 1 enchaînement.

a. = ... enchaînement(s)   **d.** = ... enchaînement(s)

b. = ... enchaînement(s)   **e.** = ... enchaînement(s)

c. = ... enchaînement(s)   **f.** = ... enchaînement(s)

Compréhension orale

Paul et les transports !

Écoutez le reportage et répondez aux questions.

cd 76

1 Qui passe trois heures par jour dans les transports en commun ?

....

2 Combien de temps Paul passe dans les transports en commun ?

○ 3 heures   ○ 3 heures 30   ○ 2 heures 30

3 Le rythme de la vie de Paul est :

○ déprimant.   ○ calme.   ○ stressant.

4 Qu'est-ce que le télétravail ?

○ Travailler avec une télévision.   ○ Travailler loin de chez soi.   ○ Travailler chez soi.

5 Avec qui Paul passe plus de temps ?

....

6 Est-ce que Paul pense à sa vie d'avant ? Pourquoi ?

....

Production orale

[JEUX DE RÔLE]

À deux. Choisissez la fiche A ou B. Prenez connaissance des informations de votre fiche et jouez la scène avec votre partenaire.

Apprenant A

Vous habitez à Toulouse dans un appartement du centre-ville. Il fait souvent beau, vous avez des loisirs et vous vous occupez de votre chat et de votre chien. Mais vous passez trop de temps dans les transports en commun et vous en avez marre de la pollution. Vous parlez de votre insatisfaction avec votre ami(e).

Apprenant B

Vous êtes l'ami(e) de l'apprenant A. Vous lui proposez de vivre à la campagne près de Toulouse, en Ariège, dans un petit village près de Foix. Vous parlez des avantages de la vie à la campagne.

Préparation au DELF A1 **Compréhension de l'oral**

[STRATÉGIES] p. 74

Vous allez entendre 5 petits dialogues correspondant à 5 situations différentes.
Il y a 15 secondes de pause après chaque dialogue. Notez, sous chaque image,
le numéro du dialogue qui correspond. Puis vous allez entendre à nouveau
les dialogues et pouvez compléter vos réponses. Regardez les images.
Attention, il y a 6 images (A, B, C, D, E et F) mais seulement 5 dialogues.

cd 77

Dialogue ....

Dialogue ....

Dialogue ....

Dialogue ....

Dialogue ....

Dialogue ....

C'ÉTAIT BIEN ?

Grammaire

[LES PRONOMS COD ET COI (1ʳᵉ ET 2ᵉ PERSONNES)] p. 175

1 Soulignez les pronoms COD et entourez les pronoms COI dans les phrases.

a. Mon ami Marc est français. Il ne me comprend pas toujours, mais il m'écoute.

b. Il m'écrit les mots en français.

c. Il te connaît aussi, il te parle tous les matins au café.

d. Regarde, il nous téléphone.

e. Il vous parle d'un concert ce soir.

f. Nous ne pouvons pas venir ! Demain, notre professeur nous interroge.

[LES PRONOMS COD ET COI (1ʳᵉ ET 2ᵉ PERSONNES)] p. 175

2 Répondez aux questions comme dans l'exemple.
Exemple : – *Est-ce que tu nous comprends ?* → – *Oui, **je vous comprends**.*

a. – Est-ce que tu m'invites ? → – Non, ...

....

b. – Est-ce que le professeur vous corrige, les autres élèves et toi ? → – Oui, ...

....

c. – Est-ce qu'il vous conseille de parler votre langue maternelle ? → – Non, ...

....

d. – Est-ce que vous me téléphonez après le cours ? → – Oui, ...

....

e. – Est-ce que nous t'attendons demain matin ? → – Oui, ...

....

[LES INDICATEURS DE TEMPS (RAPPEL)] p. 176

3 Complétez les phrases avec les mots suivants : *à – en – pendant – il y a – maintenant – en – longtemps – de.*

> **Cœur de Pirate (née Béatrice Martin)**
>
> **Date et lieu de naissance :** 22 septembre 1989 à Outremont, Québec.
> **1993-2003 :** Elle apprend le piano.
> **2004 :** Elle joue dans un groupe de rock avec des amis.
> **2007 :** Elle fait connaître sa première chanson sur internet.
> **6 mars 2010 :** Elle gagne un prix aux Victoires de la Musique en France.
> **2015 :** Sortie de son troisième album en français « Roses ».
> Elle est très présente sur les réseaux sociaux.

a. Elle est née .... 26 ans.

b. Elle a appris le piano .... 10 ans. Elle a .... joué du piano.

c. Elle a fait partie d'un groupe de rock .... 2004 .... 2007.

d. .... mars 2010, elle a gagné un prix important.

e. Son dernier album est sorti .... 2015.

f. .... elle est très présente sur les réseaux sociaux.

[LES INDICATEURS DE TEMPS (RAPPEL)] p. 176

4 Transformez les indicateurs de temps du passé au futur.

Exemple : *Jérémie t'a invité il y a dix jours ?* → *Non, il va m'inviter **dans dix jours** !*

a. Tu es allé au cinéma la semaine dernière ? → Non, je vais y aller ....
.... !

b. Vous avez pris un cours de français le mois dernier ? → Non, je vais commencer ....
.... !

c. Vous avez rencontré Paul il y a deux jours ? → Non, je vais le rencontrer ....
.... !

d. Paul et Sophie ont vécu au Maroc l'année dernière ? → Non, ils vont y vivre ....
.... !

e. Vous avez téléphoné à Sophie hier ? → Non, nous allons lui téléphoner ....
.... !

Communication

p. 175

[PARLER DE SES DIFFICULTÉS, ENCOURAGER OU RASSURER]

Écoutez et complétez le dialogue. cd 78

– Alors Pepito, tu vas toujours au cours de français ?

– Oui, mais ....

.... la parole.

– Pourquoi ? ....

.... bien.

– Je suis timide. En classe, je suis ....

– Courage ! Tu as ....

– Je ne crois pas. J'ai du mal à m'exprimer, ...

.... pour lire.

– .... , ça va aller !

Vocabulaire

p. 177

[LA PRATIQUE D'UNE LANGUE ÉTRANGÈRE]

1 Qu'est-ce que vous faites en cours de français ? Reliez les éléments (plusieurs réponses possibles).

a. Je prends   •

b. Je corrige   •

c. Je pratique   •

d. Je m'exprime   •

e. Je communique   •

• **1.** la langue.

• **2.** la parole.

• **3.** un ami de mon cours.

• **4.** en français.

[LA PRATIQUE D'UNE LANGUE ÉTRANGÈRE] p. 177

2 Indiquez si les expressions suivantes expriment une stratégie ou une difficulté.

	Stratégies pour améliorer son français	Difficultés
Faire un échange linguistique		
Avoir du mal à s'exprimer		
Avoir un accent trop fort		
Aller à une soirée polyglotte		
Regarder un film québécois en version originale		
S'inquiéter de son niveau		

Grammaire

[LES TEMPS (RAPPEL)] p. 181

1 Écoutez les phrases et indiquez si les verbes sont au présent, au passé, au futur proche ou à l'impératif.

cd
79

	a.	b.	c.	d.	e.	f.	g.
Présent							
Passé							
Futur proche							
Impératif							

[LES TEMPS (RAPPEL)] p. 181

2 Complétez le tableau.

Hier, j'ai pris le train.	*Aujourd'hui, je prends le train.*	**a.** *Demain,* ....
b.	*Aujourd'hui, Lili vient à 3 h.*	**c.** ....
d.	**e.**	*Demain, vous allez sortir avec des amis.*

[LES TEMPS (RAPPEL)] p. 181

3 Conjuguez les verbes entre parenthèses au présent, au futur proche, au passé composé ou à l'impératif.

Isabelle : Bonjour, nous (parler) .... la semaine dernière des activités culturelles. Maintenant, (préparer) .... ensemble le programme précis !

Éléonore : D'accord. Moi, je (organiser) .... les soirées d'échanges linguistiques le mois prochain, les jeudi et vendredi soir.

Walter : Non, pas le vendredi soir, parce que dans deux semaines mon ciné-club (commencer) ....

Éléonore : Mais les soirées polyglottes (avoir) .... beaucoup de succès le mois dernier : une seule par semaine, ce n'est pas suffisant !

Walter : Vous (ne pas comprendre) .... l'importance du cinéma !

[LES PRONOMS COMPLÉMENTS (RAPPEL)] p. 182

4 Entourez le pronom qui convient dans les phrases suivantes.

a. Nous (lui / l' / te) achetons au kiosque.

b. Nous (vous / le / te) lisons pour connaître l'actualité.

c. Il (nous / la / te) donne des cours de français.

d. Nous (lui / l' / le) aimons beaucoup.

e. Son père (la / lui / l') a acheté une télévision.

f. Il (m' / lui / la) regarde tout le temps !

Communication

[DIRE SON ACCORD OU SON DÉSACCORD/EXPRIMER SON INTÉRÊT]

Complétez le dialogue.

Yasmine : Salut Léandre. Ça va ? Ça fait longtemps !

Léandre : Oui, ça va bien ! [*Il parle de son projet : ouvrir un café*] ....

....

Yasmine : [*Elle exprime son intérêt*] ....

....

Léandre : Je vais travailler dans ce café aussi : je vais faire la cuisine. Je pense que c'est un beau métier, tu ne crois pas ?

Yasmine : [*Elle est d'accord avec lui*] ....

....

Léandre : Est-ce que tu veux être serveuse dans mon café ?

Yasmine : [*Elle n'est pas d'accord avec lui*] ....

....

Vocabulaire

[LA PRESSE] p. 183

1 Complétez le dialogue avec les mots suivants : *féminin – d'actualité – rubriques – sportif – vendeur – kiosque à journaux.*

Alexandre : Je reviens du .... , j'ai acheté des magazines.

Sophie : Je voudrais lire les nouvelles, tu as pris un magazine .... ?

Alexandre : Non désolé, mais pour toi il y a un magazine .... avec

des belles photos, des .... mode et beauté. Cela ne te plaît pas ?

Sophie : Pas du tout ! Qu'est-ce que tu as pris d'autre ?

Alexandre : Un magazine sur le tennis que le .... m'a conseillé.

Sophie : Super, je vais lire ce magazine .... alors.

[LA PRESSE] p. 183

2 Regardez les magazines et complétez le tableau avec les étiquettes. Imaginez les rubriques de ces magazines. (Vous pouvez utiliser les étiquettes plusieurs fois.)

culturel   cinéma   féminin   littérature   cuisine

politique   musique   d'actualité   société

Magazine ....

Rubriques
....
....
....
....

Magazine ....

Rubriques
....
....
....
....

Magazine ....

Rubriques
....
....
....
....

Phonétique

[LES SONS [j]/[w]/[ɥ]] p. 178

1 Écoutez les phrases et dites si vous entendez [j], [w] ou [ɥ]. cd 80

	a.	b.	c.	d.	e.	f.	g.
[j]							
[w]							
[ɥ]							

[LES SONS [j]/[w]/[ɥ]]

2 Lisez le texte et dites combien de [w], de [j] et de [ɥ] il y a dans le texte. Écoutez pour vérifier vos réponses.

Antoine est un garçon tranquille. Dans ses loisirs, il cuisine. Il se débrouille bien. Il choisit des recettes compliquées, il réussit tout ! Il utilise l'huile d'olive, les fruits, mais pas les produits laitiers. Ses accessoires préférés sont le couteau, le fouet et la cuillère.

[w] = ….. [j] = ….. [ɥ] = …..

[*E* PRONONCÉ, *E* NON PRONONCÉ]

3 Écoutez. Barrez les « *e* » non prononcés et soulignez les « *e* » prononcés.

a. Le programme de la semaine.

b. Mon devoir est pour vendredi, pas pour samedi.

c. Je connais une famille francophone.

d. Je mange de la tarte aux poires.

e. À la librairie, je regarde une revue originale.

📖 Compréhension écrite

Lisez le texte et répondez aux questions.

Utilisez les réseaux sociaux pour progresser en français

Chaque jour, nous échangeons 144 milliards d'emails et nous passons beaucoup de temps sur les réseaux sociaux comme Facebook ou Twitter.

Nos conseils d'écriture sur internet

Il faut prendre le temps d'écrire son texte pour éviter de faire des fautes. Il est important de respecter les règles de grammaire et d'orthographe sur internet aussi !

Vous ne devez pas hésiter à vous amuser à corriger les fautes de vos amis. Cela va vous aider à progresser plus vite et va aussi les aider ! Vous pouvez leur demander de corriger vos fautes et progresser ensemble.

Évitez les abréviations ou le « langage SMS » et demandez à vos amis de faire pareil.

Enfin, vous pouvez trouver sur les réseaux sociaux des activités amusantes pour améliorer votre français. Vous pouvez par exemple faire des « twictées ». L'idée est simple : écrire des petites dictées de 140 caractères sur Twitter. Vous pouvez vous entraîner sur le compte Twitter @twicteeofficiel.

Compréhension

1 **Quel est le sujet de cet article ? Pour améliorer votre français…**
○ regardez des films.
○ utilisez internet.
○ voyagez dans un pays francophone.

2 **Quel est le premier conseil d'écriture sur internet ?**
○ Écrivez vite.
○ Faites attention à la grammaire.
○ L'orthographe n'a pas d'importance.

3 **Qu'est-ce que vous pouvez demander à vos amis ?**
○ De vous écrire des messages en anglais.
○ D'utiliser le « langage SMS ».
○ De vous corriger.

4 **Qu'est-ce qu'une « twictée » ?**
○ Une dictée sur Twitter.
○ Une interdiction d'utiliser Twitter.
○ Un nouveau jeu vidéo.

Vocabulaire

5 **Cochez la bonne définition.**

a. Une abréviation, c'est :
○ un mot écrit plus court.
○ un mot écrit plus long.
○ un mot incompréhensible.

b. L'orthographe, c'est :
○ l'écriture correcte des mots.
○ l'écriture plus courte des mots.
○ l'écriture phonétique des mots.

 Production écrite

Racontez votre expérience sur un forum : comment avez-vous appris le français ? Vous avez suivi des cours ? Qu'est-ce que vous avez fait pour améliorer votre niveau en français ? Est-ce que vous allez continuer à parler français ? Comment ? (60 mots)

Détente

L'INFORMATION ET VOUS

Faites le test !

1 Pour vous informer, vous utilisez :

a les journaux ou revues sur papier.

b l'ordinateur ou la tablette.

c la télévision.

d je ne m'intéresse pas à l'actualité.

2 Quelles sont vos rubriques préférées ?

a Rubrique Politique

b Rubrique Société

c Rubrique Sport

d L'horoscope

3 Vous suivez l'actualité :

a plusieurs fois par jour, c'est en ligne.

b une fois par jour.

c une ou deux fois par semaine.

d presque jamais.

4 Vous préférez lire :

a des articles dans un journal papier.

b des sites web d'information.

c des posts de blogs.

d des magazines féminins ou sportifs.

5 Vous avez lu un article intéressant :

a vous le découpez et vous le mettez dans un dossier.

b vous le partagez sur les réseaux sociaux.

c vous ne vous souvenez pas du nom du site ou du journal.

d ce n'était pas un article d'actualité.

Votre profil

*Une majorité de **a** : Vous préférez lire les journaux papier pour vous informer. Pas besoin d'être connecté(e) pour tout savoir !

*Une majorité de **b** : Vous êtes super connecté(e) et super informé(e). Vous connaissez tout de suite, toutes les informations.

*Une majorité de **c** : Vous êtes informé(e) sur les actualités importantes, mais vous n'êtes pas passionné(e) par l'information.

*Une majorité de **d** : Vous préférez le sport, l'horoscope ou le cinéma : il y a des choses plus importantes que l'actualité dans la vie.

TRANSCRIPTIONS

unité 1

Page 3

Grammaire **Les adjectifs de nationalité**

Activité 1 (piste 2)
a. Karim est algérien.
b. Abdou est sénégalais.
c. Danaé est grecque.
d. Jens est suédois.
e. Lorenz est allemand.
f. Pierre est français.

Page 4

Communication **Demander de se présenter, se présenter (piste 3)**
Julien : Bonjour !
Nadine : Bonjour !
Julien : Je m'appelle Julien, et toi, comment tu t'appelles ?
Nadine : Moi, c'est Nadine !
Julien : Tu es française ?
Nadine : Non, je suis sénégalaise et toi ?
Julien : Moi, je suis français.
Nadine : Tu as quel âge ?
Julien : J'ai 34 ans et toi ?
Nadine : J'ai 32 ans.

Page 5

Vocabulaire **Les nombres (1)**
Activité 2 (piste 4)
a. 23 - 13 - 18 - 61 et 48
b. 31 - 8 - 47 - 19 et 56
c. 24 - 2 - 14 - 28 et 37
d. 32 - 17 - 45 - 58 et 16

Page 9

Phonétique **Prononcer une phrase simple**
Activité 1 (piste 5)
a. Je suis français.
b. J'aime le tennis.
c. J'aime la lecture.
d. Je m'appelle Arthur.
e. Je m'appelle Arthur Bonnet.
f. J'ai vingt-cinq ans.

Page 10

Phonétique **Les groupes rythmiques et l'accent tonique**
Activité 2 (piste 6)
a. Paola est italienne, Macha est russe, John est anglais.
b. Nicolas a quarante ans, Antoine a huit ans.
c. Philippe a quarante-huit ans.
d. Bonjour les amis, vous allez bien ?
e. Il aime le sport et la lecture.

Phonétique **Les groupes rythmiques et l'accent tonique**
Activité 3 (piste 7)
a. Voici Albert, voici Robert, voici Danièle.
b. Paul a vingt ans, Lili a vingt-trois ans.
c. Pierre est allemand, Jeanne est anglaise.
d. Il s'appelle Jacques, Jacques Bonnemaison.
e. J'aime la natation, le tennis, le cinéma.

Page 10

Compréhension orale **Qui est Nina ? (piste 8)**
Nina : Bonjour !
Thomas : Salut !
Nina : Moi, c'est Nina, tu t'appelles comment ?
Thomas : Je m'appelle Thomas ! Tu es française ?
Nina : Non, je suis suisse, mais je suis à Paris pour les vacances ! Je suis étudiante !
Thomas : Ah, super ! Tu habites à Berne ?
Nina : Non, j'habite à Genève, je suis née à Berne. Et toi ?
Thomas : Moi, je suis parisien ! Et je suis journaliste ! Tu es à Paris pour le week-end ?
Nina : Oui, on peut aller au Louvre ensemble.
Thomas : Oui, avec plaisir, c'est quoi ton numéro de téléphone ?
Nina : Mon numéro, c'est le 07 53 48 16 24.
Thomas : Et l'indicatif ?
Nina : +41.
Thomas : Merci ! Et tu as une adresse mail ?

Nina : Oui, bien sûr, c'est Nina N-I-N-A point Lado L-A-D-O arobase webmail point com.
Thomas : C'est noté ! Bon à très bientôt alors !
Nina : Oui, à bientôt !

unité 2

Page 13

Grammaire **Les articles définis et indéfinis**
Activité 1 (piste 9)
a. Je cherche une banque. Vous pouvez m'aider ?
b. Tu connais la rue de Balzac ?
c. Dans mon quartier, il y a des petits endroits sympas.
d. Voici un monument de pierre très connu.
e. La station de métro est encore loin ?
f. Les musées sont fermés mardi.

Page 14

Communication **Demander/Indiquer le chemin (piste 10)**
La femme : Bonjour, je cherche le n°10 du boulevard Lavoisier, vous pouvez m'aider ?
L'homme : Oui, vous traversez la place Marie Curie. Vous allez tout droit, dans la rue de France, ensuite, vous tournez à gauche dans la rue de l'Épeautre, vous marchez pendant 50 mètres, vous arrivez au boulevard Lavoisier. C'est ici, à droite de la boulangerie.

Page 15

Vocabulaire **La ville**
Activité 2 (piste 11)
Emma est là, elle sort du cinéma. Elle marche vers le parc, ah non, elle tourne à gauche, elle rentre dans la poste. Elle reste 10 minutes. Elle sort. Elle prend la rue de Bel Air. Elle achète du pain à la boulangerie. Elle continue tout droit. Elle s'arrête devant le musée.

Page 16

Grammaire **L'adjectif interrogatif**
quel
Activité 1 (piste 12)
Dialogue 1 :
– Paulo, tu es étudiant, ton université est dans quel quartier ?
– La Sorbonne.
– Quel bus tu prends ?
– Le 23.
Dialogue 2 :
– Denis, dans quelle ville tu travailles ?
– À Angers.
– Quels transports est-ce que tu utilises ?
– La voiture, c'est plus simple.
Dialogue 3 :
– Antoine, vous descendez à quelles stations de métro ?
– En général, celles de Denfert-Rochereau et de Saint-Michel.
– C'est sur quelle ligne de métro ?
– La ligne 4.

Page 17

Grammaire **Le masculin et le féminin des professions**
Activité 3 (piste 13)
a. actrice
b. pharmacien
c. directrice
d. danseur
e. traductrice
f. journaliste

Page 19

Phonétique **L'intonation montante et descendante**
Activité 1 (piste 14)
a. Vous venez avec nous ?
b. Tu habites à Paris.
c. Nous changeons à la station Opéra.
d. Vous prenez la ligne 10 ?
e. Vous voyez la place Maubert ?
f. Elle est à la maison.

Page 19

Phonétique **La prononciation des verbes en -*er***
Activité 2 (piste 15)
a. je travaille / vous travaillez
b. je traverse / tu traverses
c. ils habitent / nous habitons
d. je raconte / tu racontes
e. ils visitent / tu visites
f. tu changes / vous changez

Page 20

Phonétique **La prononciation des verbes en -*er***
Activité 3 (piste 16)
a. Tu demandes et nous indiquons.
b. Il parle et ils parlent.
c. Je pense et vous mangez.
d. Je cherche et tu tournes.
e. Tu racontes et vous préparez.
f. Ils tournent et nous passons.

---

unité 3

Page 23

Grammaire **Le singulier et le pluriel des noms**
Activité 1 (piste 17)
a. deux baguettes
b. un poivron
c. trois carottes
d. une salade
e. un citron
f. des fraises
g. des tomates

Page 25

Communication **Faire des courses**
Activité 2 (piste 18)
Le vendeur : C'est à qui ?
La cliente : C'est à moi, bonjour !
Le vendeur : Qu'est-ce que je vous sers ?
La cliente : Je voudrais deux poireaux. Et un kilo de tomates, s'il vous plaît. Et, est-ce que vous avez des poivrons ?
Le vendeur : Oui !
La cliente : J'en prends deux. Combien coûte une barquette de fraises ?
Le vendeur : 2 euros.
La cliente : J'en prends une et ce sera tout.
Le vendeur : Vous payez comment ?
La cliente : En espèces. Voilà !
Le vendeur : Merci !
La cliente : De rien, au revoir !

Page 27

Communication **Commander au restaurant/au café**
Activité 1 (piste 19)
Le client : Bonjour, est-ce que vous avez une table de libre ?
La serveuse : Oui, voilà ! Qu'est-ce que vous prenez ?
Le client : Quel est le plat du jour ?

La serveuse : Bœuf bourguignon avec gratin de pommes de terre.
Le client : Qu'est-ce qu'il y a dans le gratin de pommes de terre ?
La serveuse : Des pommes de terre, du fromage, des œufs, de la crème et du lait.
Le client : Un plat du jour, s'il vous plaît ! (…) Combien je vous dois ?
La serveuse : 12 euros s'il vous plaît !
Le client : Voilà ! Merci, au revoir !

Page 28

Vocabulaire **Au restaurant/au café**
Activité 1 (piste 20)
Le serveur : Bonjour mesdames, je prends votre commande ?
La cliente 1 : Je prends un café et un verre d'eau.
La cliente 2 : Pour moi, un jus de fruits.
Le serveur : Pomme, poire, raisin ou fraise ?
La cliente 2 : Pomme.
Le serveur : Et voilà ! Ça fait 4,5 euros.

Page 29

Phonétique **Le *e* final non prononcé, le *é* final prononcé**
Activité 1 (piste 21)
a. crème
b. barquette
c. degré
d. unité
e. tarte
f. entrée
g. fromage

Page 29

Phonétique **Le *e* final non prononcé, le *é* final prononcé**
Activité 2 (piste 22)
a. Le samedi, l'activité de Noé : faire les courses.
b. Le marché ferme à une heure.
c. Il achète quelle quantité de fruits ?
d. Liste : thé, café, viande, banane, huile, fromage râpé.
e. Il prépare un repas équilibré pour Zoé.

Page 30

Phonétique **La consonne finale non prononcée**
Activité 3 (piste 23)
beaucoup / dessert / sirop / plat / déjeuner / jus / pommes / mangent / prends / veux / petit

Page 30

Compréhension orale Qu'est-ce que vous prenez ? (piste 24)

Le serveur : Bonjour ! Je peux prendre votre commande ?

La cliente : Est-ce que vous avez des formules ?

Le serveur : Oui, la formule 1 : sandwich ou salade + boisson à 4,50 euros ou la formule 2 : sandwich ou salade + boisson + pâtisserie à 7 euros.

La cliente : Qu'est-ce que vous avez comme sandwichs ?

Le serveur : Sandwich au thon, sandwich au fromage et sandwich mixte.

La cliente : Qu'est-ce qu'il y a dans le sandwich mixte ?

Le serveur : Du thon, des tomates et de la salade.

La cliente : Je vais prendre la deuxième formule avec un sandwich mixte et une part de tarte aux fraises.

Le serveur : Et comme boisson ?

La cliente : Un jus de raisin, s'il vous plaît.

unité 4

Page 33

Grammaire Le genre et le nombre des adjectifs

Activité 1 (piste 25)

a. importante

b. courte

c. bon

d. long

e. grise

f. bonne

g. grand

Page 35

Vocabulaire Les vêtements, les accessoires, la météo

Activité 3 (piste 26)

a. Je mets la robe rouge ou le jean ? Non, le pantalon en cuir avec un tee-shirt ! Ça me plaît !

b. Vous achetez quel costume : le noir ou le bleu ? Quelle chemise ?

c. Il fait chaud à l'île Maurice, je prends des vêtements en coton et ma veste en jean.

d. Il y a des nuages, je préfère prendre mon parapluie.

Page 36

Grammaire Le futur proche et le passé récent

Activité 1 (piste 27)

a. Audrey vient d'acheter des chaussures.

b. Demain, je vais visiter un nouveau magasin avec elle.

c. Mes amis viennent de me parler du magasin.

d. Ils viennent d'acheter des accessoires.

e. Ils vont me donner l'adresse.

f. Nous allons regarder les chaussures.

Page 40

Phonétique L'élision

Activité 1 (piste 28)

a. Pour l'automne, j'achète l'imperméable en cuir ou le manteau en laine ?

b. Tu n'aimes pas l'hiver et les pulls.

c. J'adore le mois de juin et les robes d'été.

d. Il y a le vent d'ouest et l'orage, je mets l'écharpe d'Adèle.

e. C'est le printemps, je porte un tee-shirt.

Page 40

Phonétique Les liaisons en [z] et en [n]

Activité 2 (piste 29)

a. trois imperméables

b. en automne

c. un orage

d. des écrans

e. un objet

f. deux étages

g. en été

Page 40

Phonétique Les liaisons en [z] et en [n]

Activité 3 (piste 30)

a. Lili et Tom vont dans un magasin.

b. Le magasin a six étages.

c. Ils demandent des informations sur un ordinateur.

d. Ils parlent à un homme.

e. Ils regardent un écran et une souris.

f. Ils achètent deux ordinateurs, deux écrans et deux souris.

Page 44

Grammaire La fréquence

Activité 3 (piste 31)

Benoît : Salut, moi c'est Benoît.

Lucie : Bonjour Benoît. Je m'appelle Lucie.

Benoît : Quelles sont tes activités, Lucie ?

Lucie : Euh… alors j'écoute toujours de la musique, du jazz. De temps en temps, je lis… des romans… Je ne regarde jamais la télé… Et puis, ben, de temps en temps, je fais le ménage !

Benoît : Et… tu fais du sport ?

Lucie : Oui, je vais souvent à la piscine.

Benoît : Et… tu jardines ?

Lucie : Non, jamais, je n'ai pas de jardin, j'habite dans un appartement !

Page 45

Vocabulaire Dire l'heure

Activité 1 (piste 32)

a. Il est midi.

b. Il est treize heures trente.

c. Il est vingt et une heures quinze.

d. Il est minuit.

e. Il est onze heures moins le quart.

Page 49

Phonétique Les sons [i]/[y]

Activité 1 (piste 33)

a. tu t'occupes

b. midi et demi

c. une rue

d. bien sûr

e. la vie en ville

f. vite, il arrive

Page 50

Phonétique Les sons [i]/[y]

Activité 2 (piste 34)

a. Lili dit : on fait quoi cette semaine ?

b. Tu te réveilles à sept heures et moi à une heure.

c. Je reste au lit et tu passes l'aspirateur.

d. Tu fais la lessive et je fais la lecture.

e. Je me maquille, je m'habille et j'écoute de la musique.

Page 50

Phonétique Les sons [y]/[u]

Activité 3 (piste 35)

a. C'est une publicité pour les touristes.

b. Il a beaucoup de réunions.

c. Salut ! Je vais faire les courses.
d. Elle se douche et elle met une jupe.
e. Je retrouve Luc.
f. Il s'occupe de nous.

Page 50

Compréhension orale **Le spectacle du Café-théâtre du Point (piste 36)**
Pour fêter ses 50 ans, le Café-théâtre du Point vous propose un dîner-spectacle exceptionnel, tous les soirs, de 19 h 15 à 23 h 30 !
À 19 h 15 : le dîner et le menu « Point bar » (avec 3 plats et une boisson) et à 21 h : le spectacle commence !
Réservez vos billets avant le 18 mars sur notre site internet ou par téléphone : 01 45 09 79 99.
Pour avoir plus d'informations sur le spectacle, vous pouvez aller sur le site internet du Café-théâtre du Point : www.cafe-theatre.fr
À bientôt !

Page 52

Préparation au DELF A1

Compréhension de l'oral (piste 37)
Salut, c'est Kahina. Je vais voir une exposition de photos au musée de la Ville demain. Tu veux venir avec moi ? On se retrouve à quelle heure ? Rappelle-moi au 06 75 48 98 32. Bises !

unité 6

Page 53

Grammaire **Le passé composé (1)**
Activité 3 **(piste 38)**
a. Albert a reçu un faire-part pour la naissance de Remo.
b. Damien et Lou ont acheté un cadeau pour Sandra.
c. Nous avons eu un petit garçon.
d. Le petit garçon s'appelle Matteo.
e. Jeanine aime le café.
f. Elle a bu cinq cafés aujourd'hui.

Page 55

Vocabulaire **La famille**
Activité 1 **(piste 39)**
a. Clémentine est la nièce de Luca.
b. Paul est le mari de Tina.
c. Jennifer est la cousine de Clémentine.
d. Paul et Tina sont les parents de Clémentine.

e. Albert et Martine sont les grands-parents de Jessica, Jennifer, Arnaud et Clémentine.
f. Luca est le frère de Paul.

Page 58

Vocabulaire **La description physique, le caractère**
Activité 1 **(piste 40)**
a. Je suis grande, brune et j'ai les cheveux frisés.
b. J'ai la barbe et je suis drôle.
c. J'ai les cheveux courts, je suis brune et je suis timide.
d. Je suis brun et barbu.
e. Je suis grande, blonde et j'ai les cheveux longs.
f. Je suis rousse et j'ai les yeux bleus.

Page 59

Phonétique **Les voyelles nasales [ɑ̃]/[ɔ̃]**
Activité 1 **(piste 41)**
a. Ma grand-mère et ta tante.
b. Les félicitations de ton oncle.
c. Montre ta maison !
d. Mes parents t'embrassent.
e. Ils sont fiers du prénom du bébé.
f. Maman attend les enfants.

Page 59

Phonétique **Les voyelles nasales [ɑ̃]/[ɛ̃]**
Activité 2 **(piste 42)**
a. intelligent
b. cent cinquante
c. sympathique
d. important
e. magasin

Page 59

Phonétique **Les voyelles nasales [ɑ̃]/[ɛ̃]**
Activité 3 **(piste 43)**
a. Mon cousin vient demain pour cinq jours.
b. Il travaille au Cambodge mais il est français.
c. C'est un homme grand, brun, gentil et très intelligent.
d. Nous allons prendre le train pour Caen dimanche prochain.
e. Ses parents habitent en Normandie, à Blainville.
f. Ils vendent des parfums dans leur magasin.

unité 7

Page 64

Grammaire **Les prépositions de lieu (2)**
Activité 4 **(piste 44)**
Dans ma chambre, il y a un lit. À côté du lit, à gauche, il y a la table de nuit. À droite, il y a le fauteuil. L'armoire se trouve en face du lit et le bureau à droite de l'armoire.

Page 70

Vocabulaire **L'immeuble, les réparations**
Activité 3 **(piste 45)**
Message 1
Un problème de lumière dans votre appartement, maison ou immeuble ? Appelez-nous 24 h/24 h.
Message 2
Une porte difficile à ouvrir ? Nous sommes de vrais professionnels !
Message 3
Ça fuit dans votre salle de bains ou dans votre cuisine ? Appelez Julien au 01 40 85 78 95.

Page 70

Phonétique **Les sons [f]/[v]**
Activité 1 **(piste 46)**
a. La superficie est trop petite pour ma famille.
b. Le lave-vaisselle est en face du four.
c. La télévision ne fonctionne pas.
d. Le frigo n'est pas très froid.
e. On ne peut pas ouvrir la fenêtre.
f. Le fauteuil n'est pas confortable.

Page 70

Phonétique **Les sons [b]/[v]**
Activité 2 **(piste 47)**
a. vous / vous
b. beau / vos
c. viens / bien
d. belle / belle
e. bain / vingt
f. va / bas

Page 70

Phonétique **Les sons [b]/[v]**
Activité 3 **(piste 48)**
a. Le plombier va bien régler le problème.
b. Évitez de bloquer le passage devant le bâtiment B.

c. Les poubelles ne peuvent pas rester ouvertes.

d. Nous avons inventé et fabriqué des objets pour décorer l'immeuble.

e. Chers voisins, vous êtes les bienvenus à notre fête.

f. Il va y avoir du bruit, veuillez nous excuser par avance.

Page 71

Compréhension orale Madame Brousse loue sa maison (piste 49)

L'homme : Bonjour, je vous appelle pour la maison.

Mme Brousse : Ah oui, bonjour, je suis madame Brousse ! Je loue ma maison parce que je déménage à Paris. Elle est grande. Sa superficie est de 150 m².

L'homme : Il y a combien de pièces ?

Mme Brousse : Il y a cinq pièces. Au rez-de-chaussée, à droite, il y a la cuisine. À gauche, il y a le salon.

L'homme : La cuisine est équipée ?

Mme Brousse : Oui, elle est équipée. Il y a une cuisinière et un réfrigérateur.

L'homme : Où sont les chambres ?

Mme Brousse : Les trois chambres sont à l'étage et la salle de bains aussi, mais il y a une fuite et j'attends la visite du plombier.

L'homme : Ah…

Mme Brousse : Oui, mais devant la maison, il y a un grand jardin. Et le quartier est très calme. Il est interdit de faire du bruit après 22 h. Et ce n'est pas cher. 1 000 euros par mois. Et…

L'homme : Eh bien, merci, merci madame Brousse. Je vais réfléchir. Au revoir.

Page 72

Préparation au DELF A1

Compréhension de l'oral (piste 50)
Bonjour !
Ici Monsieur Lesage, le propriétaire de l'appartement. Je vous rappelle pour vous donner des informations. Alors, l'appartement fait 68 m², il y a un grand salon, une cuisine équipée, une petite salle de bains, une chambre et un petit bureau. Il est au 5e étage sans ascenseur. On peut faire une visite mardi soir. Merci de me téléphoner au 03 20 55 59 12 pour confirmer le rendez-vous. Au revoir.

---

unité 8

Page 74

Grammaire Les verbes en *-ir* au présent
Activité 3 (piste 51)
a. Elle rougit au soleil.
b. Ils réfléchissent beaucoup.
c. Il part à 16 h.
d. Elles finissent leur travail.
e. Elle dort à l'hôtel.
f. Il choisit un voyage en avion.

Page 76

Grammaire Le passé composé (2)
Activité 1 (piste 52)
a. Je suis allé en Inde.
b. Vous êtes partis quand ?
c. Nous avons dormi dans une auberge.
d. Elles sont venues nous rendre visite.
e. Tu as mangé des spécialités sénégalaises ?
f. Il est arrivé en train.
g. Je suis sorti faire une promenade.

Page 78

Communication Exprimer une émotion, une sensation (piste 53)
1. Ah bon ? C'est délicieux !
2. C'est génial !
3. Je suis contente.
4. Je ne comprends pas.
5. J'ai chaud.
6. Ça pique !

Page 79

Phonétique Les sons [wa]/[wɛ̃]
Activité 1 (piste 54)
a. Benoît voyage en voiture très loin avec moi.
b. Éloi choisit de venir à Troyes avec toi.
c. Au coin des affaires, j'ai trouvé des accessoires de toilette.
d. Il fait froid et tu as besoin d'un maillot de bain ?
e. Tourcoing est moins joyeuse le soir que Lille.
f. Je reçois une carte postale de Pointe-à-Pitre.

Page 80

Phonétique Les sons [k]/[g]
Activité 2 (piste 55)
a. Mes tongs sont grises.
b. La tour de contrôle annonce le décollage.

---

c. Est-ce que Karim connaît Pékin ?
d. Gaétan va à Prague.
e. C'est un grand groupe de touristes grecs.
f. Ce week-end, les animaux sont acceptés.

Page 80

Phonétique Les sons [k]/[g]
Activité 3 (piste 56)
a. À quelle heure est l'embarquement ?
b. Jacques a pris mon guide des souks.
c. Il y a un parking dans le centre de Marrakech.
d. Pourquoi est-ce que tu fais des vaccins ?
e. Il est fatigué et angoissé, il a besoin de vacances.
f. Tu es parti au Sénégal sans crème solaire ?

---

unité 9

Page 85

Vocabulaire Les petits problèmes du quotidien, les émotions
Activité 1 (piste 57)
a. Ton vélo neuf est cassé ! C'est pas possible !
b. Il y a la grève ? maintenant ? Et comment je vais rentrer ?
c. Tu as oublié notre rendez-vous ? J'ai attendu une heure !
d. J'ai perdu mon téléphone. Quel dommage !

Page 87

Grammaire Le conseil
Activité 4 (piste 58)
Conseils
1. Il faut partir à l'heure.
2. Achète un agenda !
3. Pars en vacances !
4. Il peut prendre une aspirine.
5. Vous pouvez prendre notre vélo.
6. Il faut appeler un dépanneur.

Page 88

Vocabulaire Le corps et la santé
Activité 1 (piste 59)
Dialogue 1 :
– Tu es fatigué, toi !
– Je ne me sens pas bien, j'ai très mal à la tête.
– Va à la pharmacie, achète un médicament.

Dialogue 2 :

– Vous avez un médicament pour le mal de tête ?

– Oui. Mais vous avez un rhume aussi ?

– Je ne sais pas, oui. Je voudrais un médicament, s'il vous plaît, je dois travailler.

– Allez chez le médecin, monsieur !

Dialogue 3 :

– J'ai mal à la tête et au ventre, j'ai de la fièvre et je dois beaucoup travailler.

– Hum… Il faut rester à la maison et dormir.

Page 89

`Phonétique` **Les sons [ʃ]/[ʒ]**

Activité 1 (piste 60)

a. Il fait chaud, et il y a des embouteillages !

b. Quelle journée ! Quelle malchance !

c. Tu as la bouche… toute rouge !

d. Un fer à cheval ! De ma région !

e. Jean ! Ne passe pas sous l'échelle !

f. C'est mon chat, il est noir mais il est gentil.

Page 89

`Phonétique` **Les sons [ʃ]/[ʒ]**

Activité 2 (piste 61)

a. Regarde tes cheveux ! Ils sont plein de shampoing.

b. Vous avez déjà eu un chien ?

c. Aujourd'hui, je vais en manger pour la première fois.

d. – Il a un objet qui porte chance ?
– Oui, un tee-shirt porte-bonheur jaune.

e. Ta jambe fait encore mal ? Change de médecin !

Page 90

`Phonétique` **L'enchaînement consonantique**

Activité 3 (piste 62)

a. Le docteur mange avec nous ? ou avec une amie ?

b. Madame, n'oubliez pas votre aspirine. Elle est là !

c. C'est un trèfle à quatre feuilles.

d. Il habite au treize avenue de la Chance.

e. Notre ami est triste. Je l'invite au restaurant.

Page 90

`Compréhension orale` **Journée difficile… (piste 63)**

Simon : Bonjour, excuse-moi, je suis vraiment en retard.

Lucie : Simon, tu as oublié notre rendez-vous ?

Simon : Mais non ! J'ai eu une journée difficile.

Lucie : Pourquoi est-ce que tu as eu une journée difficile ?

Simon : Parce que j'ai raté mon train. D'abord, cela m'a stressé, ensuite j'ai perdu un dossier dans le train, et je me suis disputé avec un collègue. Enfin, j'arrive à 18 h 30 au café et tu es en colère contre moi.

Lucie : Quelle galère ! Mon pauvre !

Simon : Ne ris pas, c'est de la malchance !

Lucie : Tu es superstitieux, toi ?

Simon : Non, mais… quand je rate mon train, après, tout se passe mal ! C'est toujours comme ça.

Lucie : La prochaine fois, reste chez toi !

Simon : Ah, merci du conseil.

unité 10

Page 94

`Grammaire` **La durée, la continuation**

Activité 4 (piste 64)

a. J'ai étudié à Leipzig pendant deux ans.

b. Sam étudie toujours la philosophie.

c. Lya et Laure ont longtemps étudié à la bibliothèque.

d. Luc a travaillé dans un restaurant pendant ses études.

e. Nous ne cherchons pas de travail : nous sommes toujours étudiants.

f. Vous avez voyagé pendant votre année d'études en Italie.

Page 98

`Communication` **Exprimer une capacité, un souhait ou un projet professionnel (piste 65)**

a. Je suis motivé par le droit du travail.

b. Je sais travailler en équipe.

c. J'ai envie d'apprendre de nouvelles choses.

d. Je connais bien les logiciels de comptabilité.

e. Je suis doué pour m'organiser.

f. Je peux faire un budget.

g. Ça me plairait de travailler dans un cabinet d'avocats.

Page 98

`Vocabulaire` **L'entreprise, la vie professionnelle**

Activité 1 (piste 66)

Bonjour, je suis France Azevedo. Je suis la directrice de Azevedo propreté et je vais vous présenter mon équipe. Nous avons quatre services. Angèle est la responsable des ressources humaines, elle travaille avec Karine qui est secrétaire. Tatiana est responsable du service comptabilité. Elle travaille avec Jules qui est stagiaire. Kady est responsable du service commercial. Elle travaille avec Pierre. Jacques est technicien et Cécile est sa responsable. Et enfin, je travaille comme directrice avec Albert, qui est secrétaire de direction.

Page 99

`Phonétique` **Prononcer [R]**

Activité 1 (piste 67)

a. Atelier des métiers : voici le dossier à envoyer.

b. Le concours pour les futurs ingénieurs dure plusieurs jours.

c. Aux portes ouvertes, on parle de la carte d'étudiant et des bourses.

d. L'Erasmus+ est une expérience intéressante qui m'encourage.

e. Je découvre un projet professionnel en Grèce.

f. J'ai rencontré le responsable du réseau en Roumanie.

Page 99

`Phonétique` **Les sons [t]/[d]**

Activité 2 (piste 68)

a. C'est une idée. / Cette unité.

b. Les étudiants se détendent. / Les étudiants se détendent.

c. Il étudie le droit ? / Il étudie le trois ?

d. Rentre ses dossiers. / Rendre ses dossiers.

e. Les métiers du dessin. / Les métiers du dessin.

f. C'est entré sur le site ? / C'est André sur le site ?

Page 100

Phonétique Les sons [t]/[d]
Activité 3 (piste 69)
a. Attention, pendant les vacances la bibliothèque ferme à 17 heures.
b. À gauche, nous découvrons l'administration puis le département de langues.
c. Si ma candidature est acceptée, je fais un doctorat.
d. Dans l'amphithéâtre Balzac, il y a toujours les cours de littérature.
e. Pour son diplôme en médecine, il est parti à Nantes.
f. L'architecte qui a dessiné ce stade travaille à l'étranger.

unité 11

Page 104

Grammaire Le pronom COI *y*
Activité 5 (piste 70)
a. Tu habites à la campagne ?
b. Vous réfléchissez au déménagement ?
c. Elle pense à son avenir ?
d. Il croit au changement ?
e. Tu réfléchis à un nouveau métier ?

Page 106

Vocabulaire La ville et la campagne
Activité 1 (piste 71)
Quentin : Vous êtes bien sur le répondeur de Quentin, veuillez laisser votre message après le bip. Merci !
Nathan : Salut Quentin, c'est Nathan. Voilà, je cherche à venir habiter près de chez toi à la campagne. J'en peux plus de mon petit logement en ville, le prix du loyer est trop élevé. Ma ville est très polluée et la grisaille est présente tous les jours. C'est déprimant ! Je voudrais déménager et habiter dans une maison. Rappelle-moi pour me donner ton avis. À bientôt !

Page 108

Communication Décrire son mode de vie (piste 72)
1. [bruitages : rires d'enfants qui jouent au ballon et chèvres.]
2. [bruitages : bruits d'une personne qui fait du ski.]
3. [bruitages : bruits de nature, de campagne.]

Page 110

Phonétique Les sons [p]/[b]
Activité 1 (piste 73)
a. déprimant
b. agréable
c. reposant
d. libre
e. petit
f. beau
g. bien
h. prix
i. campagne
j. embouteillage
k. bouchon
l. pollution

Page 110

Phonétique Les sons [p]/[b]
Activité 2 (piste 74)
a. J'aime beaucoup vivre en ville.
b. J'utilise tous les jours les transports en commun.
c. Il y a moins de choses à faire à la campagne.
d. L'ambiance y est triste.
e. Vivre heureux en ville, c'est possible.
f. C'est une publicité pour la vie en ville !

Page 110

Phonétique L'enchaînement vocalique
Activité 3 (piste 75)
a. Mon appartement à Paris est aussi petit qu'un garage.
b. Je veux habiter dans une grande maison.
c. J'y ai réfléchi et j'ai fait un choix.
d. Mon amie Alice vit à la campagne.
e. Je veux y habiter moi aussi.
f. Je vais passer une année avec elle.

Page 111

Compréhension orale Paul et les transports (piste 76)
Présentatrice : Un francilien sur trois passe trois heures par jour dans les transports en commun. Certaines entreprises proposent à leurs salariés le télétravail. Un exemple à Rungis avec notre journaliste.
Le journaliste : Aujourd'hui, nous sommes avec Paul. Paul se rend à Rungis tous les matins, 1 h 15 de transport…
Paul : Oui, je passe 3 h 30 dans les transports tous les jours. C'est beaucoup de temps perdu !

Le journaliste : Paul, trop stressé par votre rythme de vie, vous avez décidé de changer… Racontez-nous…
Paul : J'ai pensé à changer de métier et puis j'ai trouvé une autre solution… J'ai demandé à mon employeur de travailler à la maison. C'est ce qu'on appelle le télétravail. Il a accepté.
Le journaliste : Qu'est-ce qui a changé ?
Paul : Je travaille dans de meilleures conditions chez moi, 2 jours par semaine. Je passe donc moins de temps dans les transports. J'ai plus de temps libre avec ma famille. Je peux pratiquer plus souvent mon activité préférée : la pêche !
Le journaliste : Est-ce que vous pensez à votre vie d'avant ?
Paul : Je n'y pense jamais ! Je préfère mon nouveau rythme et ma nouvelle vie !
Le journaliste : Merci Paul pour votre témoignage.
La présentatrice : Plusieurs entreprises en France proposent le télétravail pour le bien-être des salariés… Moins de stress au travail, des salariés plus heureux, c'est peut-être la solution !

Page 112

Préparation au DELF A1
Compréhension de l'oral (piste 77)
Situation 1 :
– C'est le grand jour : on déménage !
– Je suis contente qu'on quitte la ville.
Situation 2 :
– Salut Manon ! Qu'est-ce que tu fais ?
– Je plante des fleurs. Tu m'aides ?
Situation 3 :
– Oh, les beaux légumes !
– Ils viennent de notre jardin. Ma femme et moi, on a une ferme.
Situation 4 :
– J'adore la randonnée !
– Moi aussi et quel beau paysage : les arbres sont superbes.
Situation 5 :
– Waouh, tu as beaucoup d'animaux chez toi.
– Oui, c'est super la ferme ! On a des vaches, un chien et des poules.

Page 115

Communication Parler
**de ses difficultés, encourager
ou rassurer (piste 78)**

Eva : Alors Pepito, tu vas toujours au cours de français ?
Pepito : Oui, mais j'ai peur de prendre la parole.
Eva : Pourquoi ? Tu t'exprimes bien.
Pepito : Je suis timide. En classe, je suis bloqué.
Eva : Courage ! Tu as un bon niveau.
Pepito : Je ne crois pas. J'ai du mal à m'exprimer, j'ai des difficultés pour lire.
Eva : Ne t'inquiète pas, ça va aller !

Page 116

Grammaire **Les temps (rappel)**
Activité 1 (piste 79)
a. J'ai suivi des cours.
b. Apprends le russe !
c. Je vais prendre la parole.
d. Nous nous sommes exprimés en anglais.

e. Lisez ce magazine !
f. Vous allez étudier une autre langue ?
g. Il est polyglotte.

Page 119

Phonétique **Les sons [j]/[w]/[ɥ]**
Activité 1 (piste 80)
a. soixante
b. huit
c. janvier
d. trois
e. juillet
f. la nuit
g. le soir

Page 120

Phonétique **Les sons [j]/[w]/[ɥ]**
Activité 2 (piste 81)
Antoine est un garçon tranquille. Dans ses loisirs il cuisine. Il se débrouille bien. Il choisit des recettes compliquées, il réussit tout ! Il utilise l'huile d'olive, les fruits, mais pas les produits laitiers. Ses accessoires préférés sont le couteau, le fouet et la cuillère.

Page 120

Phonétique **e prononcé, e non prononcé**
Activité 3 (piste 82)
a. Le programme de la semaine.
b. Mon devoir est pour vendredi, pas pour samedi.
c. Je connais une famille francophone.
d. Je mange de la tarte aux poires.
e. À la librairie, je regarde une revue originale.

CORRIGÉS

unité 1

Page 3

Grammaire **Activité 1**

a. Karim est algér**ien**. – **b.** Abdou est sénégal**ais**. – **c.** Danaé est gre**cque**. – **d.** Jens est suéd**ois**. – **e.** Lorenz est allem**and**. – **f.** Pierre est franç**ais**.

Activité 2

ital**ien**, ital**ienne** – espagn**ol**, espagn**ole** – bel**ge**, bel**ge** – chin**ois**, chin**oise** – sénégal**ais**, sénégal**aise**

Page 4

Grammaire **Activité 3**

Le : Portugal, Mali, Maroc
La : Russie, Côte d'Ivoire, Corée du Sud
Les : États-Unis, Pays-Bas, Comores
L' : Inde, Australie, Irlande

Activité 4

a. Il aime **la** France, **la** peinture et **le** cinéma.
b. Il aime **l'**Italie, **la** musique et **l'**athlétisme.
c. Elle aime **la** danse et **l'**escalade.
d. Il aime **l'**Allemagne, **la** boxe et **le** basket.
e. Il aime **les** films américains et **le** tennis.

Communication

Julien : Bonjour !
Nadine : Bonjour !
Julien : Je m'appelle Julien, et toi, comment tu t'appelles ?
Nadine : Moi, c'est Nadine !
Julien : Tu es française ?
Nadine : Non, je suis sénégalaise et toi ?
Julien : Moi, je suis français.
Nadine : Tu as quel âge ?
Julien : J'ai 34 ans et toi ?
Nadine : J'ai 32 ans.

Page 5

Vocabulaire **Activité 1**

a. La lecture – **b.** Le tennis – **c.** La danse – **d.** La peinture – **e.** L'athlétisme – **f.** Le cinéma

Activité 2

a. 23 – 13 – 18 – 61 et 48
b. 31 – 8 – 47 – 19 et 56
c. 24 – 2 – 14 – 28 et 37
d. 32 – 17 – 45 – 58 et 16

Page 6

Grammaire **Activité 1**

a. Je suis né **au** Maroc, **à** Tanger. –
b. J'habite **en** Allemagne, **à** Berlin. –
c. Pierre est né **à** Paris, **en** France. –
d. Clara habite **aux** États-Unis, **à** New York. – **e.** Yan est né **en** Chine, **à** Pékin.

Activité 2

a. Je suis né à Buenos Aires, en Argentine. – **b.** Sarah est hongroise, elle habite à Budapest. – **c.** Nina habite à Lisbonne, au Portugal. – **d.** Lionel habite à Johannesbourg, en Afrique du Sud. – **e.** Nibs est né à Londres, il est anglais.

Activité 3

a. Pierre a 35 ans. – **b.** Tu t'appelles Franck ? – **c.** Léonie est née en Australie. – **d.** Paul et Victoria sont espagnols. – **e.** Il s'appelle Christophe.

Page 7
Activité 4

a. J'habite à Paris. → Je n'habite pas à Paris.
b. Je parle allemand. → Je ne parle pas allemand.
c. Je suis journaliste. → Je ne suis pas journaliste.
d. J'aime le chocolat. → Je n'aime pas le chocolat.

Activité 5

a. Non, elle ne s'appelle pas Sarah.
b. Non, Noé n'aime pas la natation.
c. Non, je n'aime pas la musique québécoise.
d. Non, Clara ne vit pas en Roumanie.
e. Non, Sophie ne parle pas allemand.
f. Non, Pierre n'a pas 32 ans.

Page 8

Communication

Ton **email**, c'est quoi ? – Au fait tu as mon **numéro** espagnol ? – Non, ton **numéro** c'est quoi ? – Et l'**indicatif** ?

Vocabulaire **Activité 1**

a. 5 – **b.** 3 – **c.** 6 – **d.** 2 – **e.** 1 – **f.** 8 – **g.** 4 – **h.** 7

Page 9
Activité 2

a. Juan habite en **Espagne**, il est espagnol.
b. Fatoumata est née au Mali, elle est **malienne.**
c. Maria est **argentine**, elle habite en Argentine.
d. Nasser est né au **Niger**, il est nigérien.
e. Nathalie habite au Vietnam, elle est **vietnamienne.**
f. Iga est **polonaise**, elle est née en Pologne.

Activité 3

a. 88 → quatre-vingt-huit
b. 99 → quatre-vingt-dix-neuf
c. 76 → soixante-seize
d. 92 → quatre-vingt-douze
e. 83 → quatre-vingt-trois
f. 71 → soixante et onze
g. 96 → quatre-vingt-seize
h. 77 → soixante-dix-sept

Phonétique **Activité 1**

a. J'aime le tennis. J'aime la lecture.
b. Je m'appelle Arthur. Je m'appelle Arthur Bonnet.
c. J'ai vingt-cinq ans.
d. Je suis français.

Page 10
Activité 2

a. Paola est italienne, / Macha est russe, / John est anglais. /
b. Nicolas a quarante ans, / Antoine a huit ans. /
c. Philippe a quarante-huit ans. /
d. Bonjour les amis, / vous allez bien ? /
e. Il aime le sport /et la lecture. /

Activité 3

a. Voici Alb**ert**, voici Rob**ert**, voici Dani**èle**.
b. Paul a vingt **ans**, Lili a vingt-trois **ans**.
c. Pierre est allem**and**, Jeanne est angl**aise**.
d. Il s'appelle Ja**cques**, Jacques Bonnemai**son**.
e. J'aime la natat**ion**, le tenn**is**, le ciné**ma**.

Page 10

Compréhension orale

1 suisse.
2 français.
3 à Paris.
4 Nina **Lado** – Nationalité : **suisse** – Lieu de naissance : **Berne** – Ville : **Genève** – Téléphone : **(+ 41) 07 53 48 16 24** – Email : **nina.lado@webmail.com**

Page 11

Production orale Jeux de rôle

Proposition de corrigé :
– Comment vous vous appelez/ Comment tu t'appelles ?
– Je m'appelle…
– Quel est ton pays ?/Ton pays, c'est quoi ?
– Je suis + *nationalité*, je suis né à + *ville*.
– Vous avez quel âge ?/Tu as quel âge ?
– J'ai … ans.
– Quel est ton mail ?/Tu as une adresse mail ?
– Mon adresse, c'est…

Page 12

Préparation au DELF A1

Compréhension des écrits
1 Présenter une amie. – **2** Mireille habite à Bruxelles. – **3** belge. – **4** Elle est journaliste. – **5** Le numéro de téléphone portable de Mireille.

---

unité 2

Page 13

Grammaire Activité 1
a. une – **b.** la – **c.** des – **d.** un – **e.** la – **f.** les

Activité 2
a. le – **b.** Les – **c.** l' – **d.** un – **e.** la – **f.** une

Activité 3
a. 6 – **b.** 3 – **c.** 1 – **d.** 4 – **e.** 2 – **f.** 5

Page 14
Activité 4
a. continues – **b.** habitent – **c.** visitez – **d.** parlent – **e.** traverse – **f.** cherchons

---

Communication
a. 5 – **b.** 4 – **c.** 3 – **d.** 1 – **e.** 2 – **f.** 6

Page 15

Vocabulaire Activité 1
a. un restaurant – **b.** une banque – **c.** une bibliothèque – **d.** un musée – **e.** une poste – **f.** un théâtre

Activité 2
Emma est là, elle sort du **cinéma**. Elle marche vers **le parc**, ah non, elle tourne à gauche, elle rentre dans **la poste**. Elle reste 10 minutes. Elle sort. Elle prend **la rue** de Bel Air. Elle achète du pain à **la boulangerie**. Elle continue tout droit. Elle s'arrête devant **le musée**.

Page 16

Grammaire Activité 1
Dialogue 1 :
– Paulo, tu es étudiant, ton université est dans **quel** quartier ?
– **Quel** bus tu prends ?
Dialogue 2 :
– Denis, dans **quelle** ville tu travailles ?
– **Quels** transports est-ce que tu utilises ?
Dialogue 3 :
– Antoine, vous descendez à **quelles** stations de métro ?
– C'est sur **quelle** ligne de métro ?

Activité 2
a. Tu habites **quel** quartier ?
b. Vous cherchez **quelle** station ?
c. Je descends à **quel** arrêt ?
d. Nous allons à **quelle** adresse ?
e. Elle tourne dans **quelles** rues ?
f. Il prend **quels** transports ?

Page 17
Activité 3
Masculin : **b.** – **d.** – **f.**
Féminin : **a.** – **c.** – **e.** – **f.**

Activité 4
a. Maïté est <u>informaticienne</u>. – **b.** Yan est <u>infirmier</u>. – **c.** Henry est <u>professeur</u>. – **d.** Nathalie est <u>animatrice</u>. – **e.** Lucas est <u>serveur</u>. – **f.** Adeline est <u>coiffeuse</u>.

Communication
1. b – **2.** e – **3.** d – **4.** a – **5.** c

Page 18

Vocabulaire Activité 1
a. 4 – **b.** 1 – **c.** 6 – **d.** 3 – **e.** 5 – **f.** 2

Activité 2
🚆 le train – ✈️ l'avion – 🚌 le métro – 🚲 le vélo – 🚶 à pied – 🚗 voiture

Page 19
Activité 3
a. Pour aller à Paris, je prends le train ou la voiture.
b. Pour aller à Madrid, je prends le train ou l'avion.
c. Pour aller à Nantes, je prends le train ou la voiture.
d. Pour aller rue Lavoisier, je prends le vélo ou je vais à pied.
e. Je vais à pied chez mon voisin.

Phonétique Activité 1
↗ : **a.** – **d.** – **e.**
↘ : **b.** – **c.** – **f.**

Activité 2

= : **b.** – **d.** – **e.**

≠ : **a.** – **c.** – **f.**

Page 20

Page 20

Compréhension écrite

1 un site internet. – **2** des lieux préférés – **3** Gaëlle : pharmacienne, Paulo : musicien, Lorette : coiffeuse, Robert : facteur – **4** Gaëlle : le jardin des plantes, Paulo : le théâtre, Lorette : le quartier de la Tour, Robert : le musée d'art contemporain. – **5** Robert utilise le vélo. – **6** Le centre historique.

Page 21

Production écrite

Proposition de corrigé :
Pour aller chez moi, tu sors de la gare et tu tournes à droite. Tu prends la rue des Anglais et tu tournes dans la petite rue à droite, après la poste. Tu continues et tu tournes à gauche, avenue Saint Patrick. Et tu prends la rue du Roi René à droite. J'habite au numéro 12.

Page 22

Détente

Activité 1

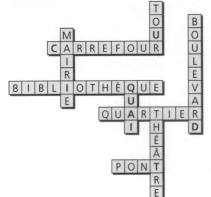

Activité 2

a. musée – **b.** parc – **c.** rue – **d.** cathédrale – **e.** école

---

unité 3

Page 23

Grammaire Activité 1

a. pluriel : **deux** baguette**s**
b. singulier : **un** poivron
c. pluriel : **trois** carotte**s**
d. singulier : **une** salade
e. singulier : **un** citron
f. pluriel : **des** fraise**s**
g. pluriel : **des** tomate**s**

Activité 2

a. Combien coûte **une salade** ?
b. Trois tomates s'il vous plaît !
c. Vous avez **deux poires** ?
d. Je paie **un camembert**.
e. Est-ce que vous avez **une baguette** ?
f. Je voudrais **trois pommes** s'il vous plaît.

Page 24

Activité 3

a. Je vais **chez le** poissonnier.
b. Lætitia est **à la** boulangerie.
c. Sonia et Franck vont **à la** boucherie.
d. Mehdi est **au** supermarché.
e. Tu es **à l'**entrée du magasin ?
f. Samy paye **aux** caisses.

Communication Activité 1

a. La boulangerie ouvre de 9 heures à 13 heures et de 15 heures à 20 heures.
b. La boucherie ouvre de 9 heures moins 5 à 19 heures.
d. Le primeur ouvre de 10 heures à 20 heures.
e. Mardi au samedi : la poissonnerie ouvre de 9 heures à 19 heures.
Le dimanche, c'est ouvert de 9 heures à 13 heures.

Page 25

Activité 2

a. la cliente – **b.** la cliente – **c.** la cliente – **d.** le vendeur – **e.** la cliente – **f.** le vendeur – **g.** la cliente

Vocabulaire Activité 1

a. 3 – **b.** 4 – **c.** 2 – **d.** 5 – **e.** 1 – **f.** 4

Activité 2

a. Une bouteille d'eau. – **b.** Une part de gâteau. – **c.** Un kilo de poires. – **d.** Un morceau de pain. / Un morceau de gâteau. – **e.** Un litre de jus de fruits. / Un litre d'eau.

Page 26

Grammaire Activité 1

a. des pommes – **b.** du lait – **c.** du sucre – **d.** de la crème – **e.** des œufs

Activité 2

Nico : pas de lait et beaucoup de sucre.
Sandrine : pas de lait et un peu de sucre.
Cécile : un peu de lait et pas de sucre.
Sandra : beaucoup de lait et beaucoup de sucre.

Activité 3

a. Marie **en** a. – **b.** Suzanne **en** mange. – **c.** Vous **en** avez ? – **d.** Je n'**en** bois pas. – **e.** Nous **en** voulons. – **f.** J'**en** achète ?

Page 27

Communication Activité 1

La serveuse : Qu'est-ce que vous prenez ?
Le client : Qu'est-ce qu'il y a dans le gratin de pommes de terres ?
La serveuse : Des pommes de terre, du fromage, des œufs, de la crème et du lait.
Le client : Un plat du jour, s'il vous plaît !/Combien je vous dois ?

Activité 2

♥ : **b.** – **d.**

☹ : **c.** – **e.**

☺ : **a.** – **f.**

Page 28

Vocabulaire Activité 1

Le serveur : Bonjour mesdames, je prends votre **commande** ?
La cliente 1 : Je prends un **café** et un verre d'**eau**.
La cliente 2 : Pour moi, **un jus de fruits**.

Activité 2

Éléments non présents sur la photo : une tarte aux fraises – du sel – de la mousse au chocolat – du poivre – un soda – une fourchette – une bouteille

Page 29

Activité 3

Points positifs : **a.** – **d.** – **f.** – **g.**
Points négatifs : **b.** – **c.** – **e.**

Phonétique Activité 1

Une consonne : **a.** – **b.** – **e.** – **g.**
« é » : **c.** – **d.** – **f.**

Activité 2

a. Le samedi l'activité de Noé : faire les courses.
b. Le marché ferme à une heure.
c. Il achète quelle quantité de fruits ?
d. Liste : thé, café, viande, banane, huile, fromage râpé.
e. Il prépare un repas équilibré pour Zoé.

Page 30

Activité 3

beaucoup – dessert – sirop – plat – déjeuner – jus – pommes – mangent – prends – veux – petit

Compréhension orale

1 a. Un serveur et une cliente – **b.** À la boulangerie – **c.** 2 – **d.** 3 – **e.** Un jus de raisin
2 Formule n°2 – 7 € – sandwich mixte – tarte aux fraises – jus de raisin
3 Formule n°1 (4, 50 €) : sandwich + boisson ou **salade + boisson** – **Formule n°2 (7 €)** : sandwich + **pâtisserie + boisson** ou salade + pâtisserie + boisson

Page 31

Production orale   Jeux de rôle

Proposition de corrigé :
Le client : Bonjour, vous avez des formules du midi ?
Le vendeur : Oui, nous avons trois formules : sandwich et boisson à 5 €, salade, sandwich et boisson à 7 € et salade, sandwich, boisson et pâtisserie à 9 €.
Le client : Qu'est-ce que vous avez comme sandwichs ?
Le vendeur : Jambon-beurre, tomate-mozzarella, fromage et mixte.
Le client : Je voudrais un mixte, s'il vous plaît.
Le vendeur : Ce sera tout ?
Le client : Non, je voudrais une formule à 7 €. Qu'est-ce que vous avez comme salade ?
Le vendeur : Carottes râpées, concombres à la crème ou tomate.
Le client : Carottes râpées, s'il vous plaît, avec un jus de pommes s'il vous plaît.
Le vendeur : Vous payez comment ?
Le client : En espèces.
Le vendeur : Voilà !
Le client : Merci, au revoir !
Le vendeur : Au revoir !

Page 32

Préparation au DELF A1

Compréhension des écrits
1 La formule coûte 9 euros. – **2** Il y a une entrée, un plat, un dessert. – **3** lundi midi, vendredi midi, lundi soir, mardi soir

unité 4

Page 33

Grammaire   Activité 1

Masculin : **c. – d. – g.**
Féminin : **a. – b. – e. – f.**

Activité 2

a. chères
b. mexicains – longue – rouge
c. indispensables – simples – élégantes – bleu

Activité 3

a. Ce **petit** magasin a des **beaux** vêtements.
b. Le tee-shirt **blanc** est une **bonne** affaire
c. J'aime les chaussures **bleues** et la **jolie** robe.
d. J'achète aussi l'imperméable **anglais** !

Page 34

Activité 4

Proposition de corrigé :
a. Camélia porte une belle veste en cuir et des lunettes blanches.
b. Laurie a une grande robe et des chaussures blanches.
c. Julien achète un beau costume et des chaussures noires.

Communication

1. b – **2.** a – **3.** d – **4.** c

Page 35

Vocabulaire   Activité 1

a. le sac à main – **b.** mauvais – **c.** la chemise – **d.** en été

Activité 2

a. 2 – **b.** 6 – **c.** 1 – **d.** 5 – **e.** 3 – **f.** 4

Activité 3

a. un pantalon – **b.** vrai – **c.** en coton – **d.** faux

Page 36

Grammaire   Activité 1

Futur proche : **b. – e. – f.**
Passé récent : **a. – c. – d.**

Activité 2

a. Il vient de casser une chaussure. Il vient d'/Il va aller dans un magasin. Il vient d'acheter des chaussures vertes.
b. Ils viennent de lire le menu. Ils vont dîner./Ils viennent de manger au restaurant. Ils viennent de payer l'addition.
c. Elle vient de prendre le métro. Elle va/Elle vient de sortir du métro. Elle va prendre un taxi.

Page 37

Activité 3

a. Cette – **b.** ce – **c.** Cet – **d.** Ces – **e.** Cet – **f.** Ces

Activité 4

a. Ce portefeuille est rouge. – **b.** Ces lunettes sont rondes. – **c.** Cette montre connectée est jolie. – **d.** Cet ordinateur est jaune. – **e.** Cette tablette est rectangulaire. – **f.** Ces vêtements sont chers.

Page 38

Communication

a. 3 – **b.** 5 – **c.** 6 – **d.** 2 – **e.** 4 – **f.** 1

Vocabulaire   Activité 1

Ernest : Quel sac tu prends pour voyager ?
Léa : Le **sac de sport**.
Ernest : Il est **rond** et petit ! Pourquoi tu ne prends pas la **valise** ?
Léa : Elle est **lourde** et elle n'est pas pratique.
Ernest : Tu prends **l'ordinateur portable** pour regarder des **DVD** dans le train ?
Léa : Non, je préfère la **liseuse**, je vais lire.

Page 39

Activité 2

Image A	Image B
sac à dos ●	sac à dos ○
portefeuille	porte-monnaie
appareil photo	tablette
petit écran	grand écran
souris	clavier

Phonétique Activité 1

a. Pour l'automne, j'achète l'imperméable en cuir ou le manteau en laine ?
b. Tu n'aimes pas l'hiver et les pulls.
c. J'adore le mois de juin et les robes d'été.
d. Il y a le vent d'Ouest et l'orage, je mets l'écharpe d'Adèle.
e. C'est le printemps, je porte un tee-shirt.

Activité 2
[n] : **b.** – **c.** – **e.** – **g.**
[z] : **a.** – **d.** – **f.**

Activité 3
a. Lili et Tom vont dan<u>s</u> un magasin.
b. Le magasin a six <u>é</u>tages.
c. Ils demandent des <u>i</u>nformations sur un <u>o</u>rdinateur.
d. Ils parlent à un <u>h</u>omme.
e. Ils regardent un <u>é</u>cran et une souris.
f. Il<u>s</u> achètent deux <u>o</u>rdinateurs, deux <u>é</u>crans et deux souris.

Page 41

Compréhension écrite

1 Ce texte est une liste de conseils. – **2** Il parle de la météo. – **3** Vrai. – **4** Ce texte explique comment s'habiller.

Production écrite

Proposition de corrigé :
Bonjour Léo,
Tu viens en Italie ? Super ! Moi, je préfère le printemps en Italie parce que l'été est très chaud et l'hiver il pleut. L'automne aussi est une bonne saison. En septembre, il ne fait pas trop chaud. À bientôt !

Page 42

Détente

1 a. en hiver et en été. – **b.** Magasiner – **c.** un tee-shirt à rayures. – **d.** un appareil photo numérique. – **e.** un bureau pour les objets perdus dans la ville.
2 marinière → pull → robe → pantalon → jupe → tee-shirt → costume → manteau → veste → chemise → imperméable → jean → tricot

---

unité 5

Page 43

Grammaire Activité 1

a. Tous les dimanches, ils se promènent avec des amis.
b. Paul se rase tous les matins.
c. Je me douche souvent vers 6 h.
d. De temps en temps, nous nous réveillons tard.
e. Gisèle ne s'occupe pas du linge.

Activité 2
a. Tous les matins, je me maquille.
b. Il se brosse les dents.
c. Nous nous coiffons le matin.
d. Elle se lève vers 7 h.
e. Tu t'endors tard le soir.

Page 44
Activité 3
Jamais : Jardiner – Regarder la télé
De temps en temps : Faire le ménage – Lire
Souvent : Faire du sport
Toujours : Écouter de la musique

Activité 4
a. Oui, nous regardons/je regarde tout le temps/souvent/toujours la télévision.
b. Non, elles ne passent jamais l'aspirateur.
c. Oui, Max/il va souvent/tout le temps/toujours au cinéma.
d. Oui, nous faisons/je fais toujours/souvent/tout le temps le ménage.
e. Non, je ne cuisine jamais.

Communication

a. – Salut Lison, quelle heure il est ?
– Il est huit heures.
– À quelle heure tu te douches ?
– Je me douche à dix heures.
b. – Bonjour maman, quelle heure il est ?
– Il est seize heures/quatre heures.
– J'ai rendez-vous à quatre heures et quart/à seize heures quinze.

Page 45

Vocabulaire Activité 1

a. Il est midi. – **b.** Il est treize heure trente. – **c.** Il est vingt et une heure quinze. – **d.** Il est minuit. – **e.** Il est onze heure moins le quart.

Activité 2
a. Jardiner – **b.** Se promener – **c.** Repasser. – **d.** Bricoler.

Page 46
Activité 3
a. faire du sport – **b.** faire la vaisselle – **c.** aller sur internet

Grammaire Activité 1

Verbes au présent de l'indicatif : **Tu achètes – Nous partons – Tu invites.**
Verbes à l'impératif présent : **Écoutez – Soyez – Regardez.**

Activité 2
Invite Jeanne au cinéma. Réserve les places sur internet. Partez à 19 h 00. Allez voir le film de Woody Allen à 19 h 30. Prends un manteau, il fait froid. Soyez à l'heure !

Page 47
Activité 3
Salut Louis, Je te propose plusieurs activités pour samedi. **Après** le petit déjeuner, on peut faire les courses. L'après-midi, **après** le déjeuner au restaurant de la plage, on pourrait se baigner. Et le soir, **avant** le concert, on pourrait faire une balade en ville.

Communication Activité 1

Proposition de corrigé :
Salut !
Tu es libre samedi soir ? Ça te dit un dîner-spectacle au Café-théâtre ? Le spectacle commence à 20 h. Et si tu veux, dimanche, on peut aller à la fête de la musique. Ça te va ?
À bientôt j'espère !
Bisou

Page 48
Activité 2
Proposition de corrigé :
a. Un concert ? Oui, avec plaisir !
b. Désolé(e), je ne peux pas aller au cinéma.
c. D'accord pour l'exposition Picasso.
d. Ce n'est pas possible. Je ne suis pas libre. Désolé(e).

Vocabulaire Activité 1

a. cinéma – **b.** musée – **c.** concert – **d.** théâtre – **e.** croisière – **f.** balade

Page 49
Activité 2
Faire une croisière sur la Seine, ça vous dit ?
Au programme : un dîner sur le **bateau** et un **concert** de jazz.
Pour **réserver** votre table : envoyez un mail à reserve@bateaumouche.fr
En + La visite du **musée** Grévin (**billets** à réserver sur place).
Vous pouvez **regarder** le programme sur notre **site** : www.bateaumouche.fr

Phonétique Activité 1
[i] : **b. – e. – f.**
[y] : **a. – c. – d.**

Page 50
Activité 2
a. Lili dit : on fait quoi cette semaine ?
b. Tu te réveilles à 7 heures et moi à une heure.
c. Je reste au lit et tu passes l'aspirateur.
d. Tu fais la lessive et je fais la lecture.
e. Je me maquille, je m'habille et j'écoute de la musique.

Activité 3
[y] est avant [u] : **a. – c. – f.**
[u] est avant [y] : **b. – d. – e.**

Compréhension orale
1 Participer à un dîner spectacle. –
2 Tous les soirs de 19 h 15 à 23 h 30. –
3 À 21 h. – **4** Oui, avant le 18 mars. –
5 On peut aller sur le site internet du Café-théâtre du Point : cafe-theatre.fr.

Page 51
Production orale Jeux de rôle
Proposition de corrigé :
Fiche A
A : Qui propose des activités ?
B : C'est le centre d'activités de la ville.
A : Quelles sont les activités ?
B : Il y a des activités culturelles.
A : Quelles activités le centre propose tous les lundis à 20 h ?
B : Les activités proposées les vendredis à 20 h sont : le cinéma, le théâtre, un concert et un atelier de danse.
A : À quelle heure sont les activités sportives ?
B : Elles sont à partir de 10 h 15.
A : À quelle heure nous pouvons appeler le centre d'activités ?
B : De 10 h 30 à 12 h.

Fiche B
B : À quelle date le centre propose des activités ?
A : Le centre propose des activités du 1er au 19 juin.
B : Quelles activités culturelles le centre propose ?
A : Le cinéma, le théâtre, un concert et un atelier de danse.
B : Quelles activités le centre propose du lundi au vendredi à 10 h 15 ?
A : Des activités sportives.
B : Quand est-ce qu'il y a les inscriptions ?
A : Avant le 25 mai.

Page 52
Préparation au DELF A1
Compréhension de l'oral
1 b (exposition de photographies). –
2 Au musée de la Ville. – **3** Demain. –
4 Pour répondre, vous pouvez téléphoner à Kahina.

unité 6

Page 53
Grammaire Activité 1
a. leurs. – **b.** Sa – **c.** ton – **d.** votre – **e.** notre

Activité 2
a. Ma sœur s'appelle Marie. – **b. Mes** villes préférées sont Prague et Milan. – **c. Mon** chien a 5 ans. – **d. Notre/Mon** oncle va bien. – **e. Nos** amis habitent à Lisbonne.

Activité 3
Passé composé : **a. – b. – c. – f.**
Présent : **d. – e.**

Page 54
Activité 4
a. J'ai oublié son anniversaire. – **b.** Elle n'a pas pu venir aujourd'hui. – **c.** Vous avez dormi chez maman ? – **d.** Jean a appelé Marc pour annoncer la nouvelle. – **e.** Katie, tu as mangé avec Clara ? – **f.** Nous n'avons pas pris le bus pour venir.

Communication
Proposition de corrigé :
Moi, c'est Pierre. Céline, c'est ma femme. Nos deux enfants s'appellent Arnaud et Julie.
Franck, c'est le frère de Céline. J'ai une grande sœur, Aurélie. Mon père s'appelle Jean, ma mère s'appelle Rita et ils adorent leurs petits-enfants, Arnaud et Julie !

Page 55
Vocabulaire Activité 1
a. Clémentine est la **nièce** de Luca. – **b.** Paul est le **mari** de Tina. – **c.** Jennifer est la **cousine** de Clémentine. – **d.** Paul et Tina sont les **parents** de Clémentine. – **e.** Albert et Martine sont les **grands-parents** de Jessica, Jennifer, Arnaud et Clémentine. – **f.** Luca est le **frère** de Paul.

Activité 2
La famille : **le père, le fils, le mari, les grands-parents, la nièce**
L'entourage : **le pote, la copine, la meilleure amie, les collègues, la voisine**

Page 56
Grammaire Activité 1
a. J'aime beaucoup Nina, **elle est** très agréable.
b. Laura, **elle est** infirmière.
c. Michael, il travaille à l'université, **c'est un** professeur.
d. Georges n'est pas marié, **il est** célibataire.
e. Stéphane parle beaucoup, **il est** bavard.
f. Pamela, c'est ma meilleure amie, **c'est une** journaliste.

Activité 2
a. Ils sont grands. – **b.** C'est un musicien. – **c.** Ce sont des architectes. – **d.** C'est une journaliste. – **e.** Il est intelligent. – **f.** Elle est calme.

Page 57
Activité 3
a. hier – **b.** dans deux jours – **c.** la semaine dernière – **d.** la semaine prochaine

Pierre : Il n'a pas l'air drôle. Il est barbu. Il a les cheveux longs. Il a les yeux bleus.
Arnaud : Il a l'air calme. Il est roux. Il a les cheveux courts et frisés. Il a les yeux marron.

Page 58

Vocabulaire **Activité 1**
1. a – **2.** e – **3.** d – **4.** f – **5.** c – **6.** b

Activité 2
• **Description physique :**
Homme = grand, barbu – **Homme/Femme** = mince – **Femme** = rousse
• **Caractère :**
Homme = bavard – **Homme/Femme** = désagréable, timide, calme – **Femme** = gentille, intelligente, stressée

Page 59

Phonétique **Activité 1**
[ɑ̃] : **a.** – **d.** – **f.**
[ɔ̃] : **b.** – **c.** – **e.**

Activité 2
1e syllabe : **a.** – **c.** – **d.**
2e syllabe : **b.**
3e syllabe : **e.**

Activité 3
a. Mon cous[in] vi[en]t dem[ain] pour c[in]q jours.
b. Il travaille au C[am]bodge mais il est français.
c. C'est [un] homme gr[an]d, br[un], g[en]til et très [in]telligent.
d. Nous allons pr[en]dre le tr[ain] pour C[aen] dimanche proch[ain].
e. Ses par[en]ts habitent en Norm[an]die, à Bl[ain]ville.
f. Ils v[en]dent des parf[ums] dans leur magas[in].

Page 60

Compréhension écrite
1 un mail. – **2** un mariage. – **3** la semaine prochaine. – **4** Les parents. – **5** les coordonnées de sa copine. – **6** le frère de Julien.

Page 61

Production écrite
Proposition de corrigé :
Salut Julien,
Quelle bonne nouvelle ! Félicitations !
Merci pour ton invitation.
Ma copine s'appelle Sabine, elle a 25 ans, elle est brune, elle a les cheveux longs et les yeux bleus. Elle est très sympa. Elle a l'air timide, mais elle est très drôle. Je suis amoureux, je crois !
Ses coordonnées :
*Son numéro de téléphone : 07 56 65 78 89
*Son adresse mail :
marie.goujon@monmail.com
À bientôt,
Arnaud

Page 62

Détente

C	H	E	V	E	U	X	C	O	U	R	T	S
Y	A	E	I	G	E	N	E	R	E	U	X	Y
E	R	B	A	R	B	U	X	B	T	E	L	M
U	X	T	V	A	R	O	A	B	C	S	D	P
X	U	S	B	N	E	E	X	C	V	B	G	A
B	L	O	N	D	D	R	D	R	O	L	E	D
L	S	R	N	S	H	E	R	T	Y	Y	N	R
E	W	M	Y	A	M	V	B	R	T	T	T	F
U	T	I	M	I	D	E	C	X	S	E	I	B
S	T	B	S	D	G	J	Y	H	U	N	L	O
C	G	C	A	L	M	E	F	G	T	G	B	T
C	B	E	U	M	O	U	S	T	A	C	H	U

---

unité 7

Page 63

Grammaire **Activité 1**
a. Aujourd'hui, je **l'**installe dans la chambre. – **b.** Je **l'**aime. – **c.** Tu viens **les** voir ? – **d.** Je vais **le** peindre. – **e.** Nous allons **la** changer.

Activité 2
a. 3 – **b.** 4 – **c.** 2 – **d.** 5 – **e.** 1

Page 64

Activité 3
a. Le canapé est **entre** la bibliothèque et la fenêtre.
b. La plante est **sur** la table **à gauche** du canapé.
c. La cheminée est **derrière** le canapé.
d. La télévision est **devant** le canapé.
e. L'aquarium est **à droite** de la télévision.
f. Le livre est **sous** la table basse.

Activité 4
a. table de nuit – **b.** lit – **c.** fauteuil – **d.** armoire – **e.** bureau

Page 65

Communication
Proposition de corrigé :
– Quelle est la surface ?
– Il est meublé ? / L'appartement est meublé ?
– Il y a combien de pièces ? / Il y a combien de pièces dans l'appartement ?
– Il y a un ascenseur dans l'immeuble ?

Vocabulaire **Activité 1**
a. 2 – **b.** 4 – **c.** 3 – **d.** 1

Activité 2
Type de logement : appartement
Pièces : 3 + 1 garage
Superficie : 45 m²
Étage : 2e
Meublé : canapé, lit, table basse et table de nuit
Cuisine équipée : cuisinière, hotte et lave-vaisselle

Page 66

Activité 3
a. La chambre : la lampe, le fauteuil, le lit, la chaise, la table de nuit
b. La cuisine : le four, le lave-vaisselle, la table, la chaise
c. Le salon : la lampe, le fauteuil, la table, la bibliothèque, la chaise

Grammaire **Activité 1**
a. Évitez de prendre l'ascenseur.
b. Interdiction de faire du bruit après 22 h.
c. Défense d'entrer dans les cuisines.
d. Merci de ne pas fumer dans le local à poubelles.
e. Prière de ne pas fermer la porte le soir.
f. Ne pas laisser les lumières allumées après 22 h.

Page 67
Activité 2
Mots pour exprimer l'interdiction : Il est interdit de – Défense de – Ne pas

Activité 3
a. On y prépare le repas. – **b.** Nous nous y lavons. – **c.** Nous y avons rencontré les voisins. – **d.** Nous n'y jetons pas les poubelles. – **e.** Tu n'y as pas pensé.

Activité 4
a. J'y habite. – **b.** Il n'y range pas ses livres. – **c.** Je vais y acheter une table. – **d.** Vous y faites à manger. – **e.** Nous y conservons la nourriture.

Page 68
Communication
Proposition de corrigé :
a. Cher locataire, Mettez vos poubelles dans le local à poubelles.
Merci de votre compréhension.
b. Chère voisine, Excusez-moi pour le bruit hier soir. J'ai déménagé.
Bonne continuation.
c. Cher voisin, Ce soir c'est mon anniversaire ! Je fais une fête à la maison.
Excusez-moi d'avance pour le bruit.
Merci de votre compréhension.
d. Chers amis, Veuillez m'excuser par avance… Je ne peux pas venir à la soirée de samedi.
À bientôt.

Page 69
Vocabulaire Activité 1
a. l'escalier – **b.** le voisin – **c.** le local à poubelle – **d.** l'étage – **e.** le rez-de-chaussée – **f.** la gardienne – **g.** la porte d'entrée

Activité 2

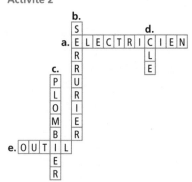

Page 70
Activité 3
Message 1 : l'électricien – **Message 2 :** le serrurier – **Message 3 :** le plombier

Phonétique Activité 1
[f]/[v] : aucun.
[v]/[f] : **b.** – **c.** – **e.**
[f]/[f] : **a.** – **d.** – **f.**

Activité 2
= : **a.** – **d.**
≠ : **b.** – **c.** – **e.** – **f.**

Activité 3
Phrase **a** : [b] = 3 [v] = 1
Phrase **b** : [b] = 3 [v] = 2
Phrase **c** : [b] = 1 [v] = 2
Phrase **d** : [b] = 3 [v] = 2
Phrase **e** : [b] = 1 [v] = 3
Phrase **f** : [b] = 1 [v] = 4

Page 71
Compréhension orale
1 Madame Brousse déménage. – **2** Il y a 5 pièces. – **3** Au bout du couloir. – **4** une cuisinière, un réfrigérateur. – **5** Il y a une fuite. – **6** Il est interdit de faire du bruit après 22 h.

Production orale Jeux de rôle
Production libre.

Page 72
Préparation au DELF A1
Compréhension de l'oral
1 C'est le propriétaire de l'appartement. – **2** Appartement c. – **3** Mardi soir. – **4** 03 20 55 59 12.

unité 8

Page 73
Grammaire Activité 1
a. Les repas sont meilleurs à l'auberge qu'à l'hôtel.
b. Il fait plus froid qu'à la maison.
c. La chambre d'hôtel est plus tranquille que le camping.
d. La piscine est aussi grande qu'un terrain de foot.

Activité 2
a. La visite du musée est aussi intéressante que la visite du château.
b. L'hôtel est plus confortable que le camping.
c. La chambre d'hôtes est moins chère que la chambre d'hôtel.
d. L'accueil à l'hôtel** est meilleur qu'à l'hôtel***.
e. La piscine du camping est plus grande que la piscine de l'hôtel.

Page 74
Activité 3
Singulier : **rougir – partir – dormir – choisir**
Pluriel : **réfléchir – finir**

Activité 4
a. remplis – **b.** réfléchissons – **c.** finissez – **d.** choisis – **e.** dorment – **f.** sort

Communication Activité 1
Proposition de corrigé :
b. L'avion, c'est mieux que la voiture, c'est plus rapide.
c. Je préfère le camping, c'est moins cher.
d. J'aime mieux le soleil, c'est plus agréable.
e. Le vélo c'est mieux que le bus, c'est plus écologique.
f. Je préfère la montagne, c'est plus tranquille.

Page 75
Activité 2
Proposition de corrigé :
a. Tu as pensé à apporter les documents ?
b. Vous n'avez pas oublié vos lunettes ?
c. N'oubliez pas votre rendez-vous !
d. Est-ce que vous avez acheté les billets de train ?

Vocabulaire Activité 1
départ – taxi – hôtel – draps – piscine – gare – billets

Page 76
Activité 2
des lunettes – de l'anti-moustiques – un appareil photo – de la crème solaire – un chargeur de téléphone – un billet d'avion

Grammaire Activité 1
Être : **aller – partir – venir – arriver – sortir**
Avoir : **dormir – manger**

Activité 2

Cher Paul,
Je **suis arrivé** à Bordeaux le 15 juin. **J'ai dormi** à l'hôtel des Fleurs. Ma sœur **est venue** me rejoindre. Nous **avons visité** la ville. Puis, nous **sommes partis** à Brest. Nous **avons passé** des vacances merveilleuses en Bretagne. Nous **avons fait** de longues randonnées et nous **sommes allés** visiter des petits villages.

Page 77
Activité 3

Il y avait du monde, mais **c'était** génial. Et hier, on est allé au château de la Rochefoucauld, **il y avait** des costumes d'époque magnifiques.
On est allé au marché, **c'était** super !
Il y avait beaucoup de spécialités régionales, mais **il faisait** très froid.

Activité 4

a. C'était beau ici. – **b.** Il y avait du monde dans ce marché. – **c.** Il faisait trop chaud. – **d.** C'était bien la Belgique. – **e.** Il y avait un musée fantastique. – **f.** Il faisait très mauvais en Bretagne.

Page 78

Communication
a. 6 – **b.** 5 – **c.** 4 – **d.** 3 – **e.** 1 – **f.** 2

Vocabulaire Activité 1
a. le panneau des départs / arrivées – **b.** le terminal – **c.** le décollage – **d.** la tour de contrôle – **e.** l'embarquement – **f.** la piste

Page 79
Activité 2

a. 1 e. – 2 a. – 3 c. – 4 d. – 5 b.
b. a. angoissé(e) – **b.** décontracté(e) – **c.** excité(e) – **d.** fatigué(e) – **e.** joyeux, joyeuse

Phonétique Activité 1
a. [wa] = 4 [wɛ̃] =1
b. [wa] = 4 [wɛ̃] = 0
c. [wa] = 2 [wɛ̃] = 1
d. [wa] = 1 [wɛ̃] = 1
e. [wa] = 2 [wɛ̃] = 2
f. [wa] = 1 [wɛ̃] = 1

Page 80
Activité 2

[k] = **b.** – **c.** – **f.**
[g] = **a.** – **d.** – **e.**

Activité 3

a. À **qu**elle heure est l'embar**qu**ement ?
b. Ja**cqu**es a pris mon **gu**ide des sou**k**s.
c. Il y a un par**k**ing dans le centre de Marra**k**ech.
d. Pour**qu**oi est-ce **qu**e tu fais des va**cc**ins ?
e. Il est fati**gu**é et an**g**oissé, il a besoin de va**c**ances.
f. Tu es parti au Séné**g**al sans **c**rème solaire ?

Compréhension écrite
1 D'hébergements pour les vacances. – **2** Des hébergements dans la nature – **3** Yourte : 150 €, en famille ou entre amis – Roulotte à la ferme : 69 €, en couple/à deux – Tipi : 45 €, seul/en solitaire. – **4** La cabane dans les arbres.

Page 81

Production écrite
Proposition de corrigé :
Salut Pierre,
Ça va ? Je viens de lire l'article sur les hébergements de vacances. Ça me plaît pour partir en week-end. Yvan a essayé la roulotte, c'était génial ! Moi, je préfère le tipi parce que c'est moins cher et parce que c'est plus confortable. Et autour, c'est plus calme. Tu viens avec moi ?
@+
Mathéo

unité 9

Page 83

Grammaire Activité 1
a. t' – **b.** nous – **c.** Elles – **d.** s' – **e.** suis

Activité 2

Proposition de corrigé :
a. Ils se sont promenés dans le parc et ils se sont bien amusés.
b. Ils se sont retrouvés dans un endroit inconnu. Ils se sont perdus.
c. Ils se sont excusés pour leur retard.

Page 84
Activité 3

a. doivent – **b.** ne faut pas – **c.** devez – **d.** devons – **e.** ne dois pas – **f.** il faut

Activité 4

a. Tu ne dois pas courir. – **b.** Il ne faut pas manger. – **c.** Nous ne devons pas prendre de photos. – **d.** Il faut rester assis. – **e.** Vous ne devez pas téléphoner.

Communication
Proposition de corrigé :
a. Ma pauvre ! – **b.** Tu n'as vraiment pas de chance ! – **c.** Quelle journée ! – **d.** Quel dommage ! – **e.** Quelle galère !

Page 85

Vocabulaire Activité 1
a. surpris(e) – **b.** paniqué(e) – **c.** en colère – **d.** triste

Activité 2

a. la déception – **b.** la panique – **c.** le stress – **d.** la tristesse – **e.** l'étonnement – **f.** la surprise

Activité 3

Ce matin, Léa a **raté** son train. Il y avait une **grève** de bus, alors elle a pris sa voiture. Elle est arrivée **en retard** au travail. Elle a été **stressée** toute la journée. Elle a **oublié** un rendez-vous. Le soir, il y a eu des **embouteillages** et sa voiture est tombée **en panne** devant sa maison. Quelle journée !

Page 86

Grammaire Activité 1
a. lui – **b.** On ne peut pas. – **c.** leur – **d.** lui – **e.** On ne peut pas.

Activité 2

a. Il faut aller voir <u>le pharmacien</u> et **lui** demander un sirop.
b. J'accompagne <u>Stéphanie et Alexandre</u> à l'hôpital, je **leur** présente le médecin.
c. Nous connaissons <u>le médecin</u>, nous **lui** expliquons le problème.
d. Tu vas voir <u>les infirmières</u> et tu **leur** demandes une aspirine.
e. Le médecin conseille un médicament <u>à Alexandre</u>, il **lui** écrit le nom du médicament.

Activité 3

a. Oui, je **leur** pose des questions. – **b.** Non, je ne **lui** dis pas de venir à l'hôpital. – **c.** Non, je ne **lui** téléphone pas. – **d.** Oui, je **leur** annonce le problème. – **e.** Non, je ne **leur** raconte pas le problème.

Page 87
Activité 4

a. 2 – **b.** 1 – **c.** 6 – **d.** 5 – **e.** 3 – **f.** 4

Communication

1	2	3	4	5	6	7	8	9
b	g	e	i	a	h	c	f	d

Page 88

Vocabulaire **Activité 1**
a. Dialogue n° 2 – **b.** Dialogue n° 3 –
c. Dialogue n° 1

Activité 2
a. gorge, oreilles, nez – **b.** jambes, pieds,
bras – **c.** yeux, dos, tête

Page 89
Activité 3
a. un comprimé – **b.** la pharmacienne
– **c.** le visage – **d.** la pommade – **e.** les
doigts

Phonétique **Activité 1**
[ʃ] / [ʒ] : **a.** – **c.** – **d.** – **f.**
[ʒ] / [ʃ] : **b.** – **e.**

Activité 2
a. cheveux/shampoing
b. déjà/chien
c. Aujourd'hui/manger
d. – objet/chance
– tee-shirt/jaune
e. jambe/Change

Page 90
Activité 3
a. Le docteur mange avec nous ? ou
avec une amie ?
b. Madame, n'oubliez pas votre aspirine.
Elle est là !
c. C'est un trèfle à quatre feuilles.
d. Il habite au treize avenue de la Chance.
e. Notre ami est triste. Je l'invite au
restaurant.

Compréhension orale
1 le soir. – **2** Simon est arrivé en retard. –
3 Parce qu'il a eu des problèmes au
travail. – **4** Rater son train. – **5** lui donne
un conseil.

Page 91

Production orale Jeux de rôle
Proposition de corrigé :

Fiche du patient
Nom : *Albert*   Prénom : *Ronsard*
Poids : *80 kg*   Taille : *1 m 70*
Se sent fatigue(e) : oui/non
Stressé(e) : oui/non
Pourquoi ? *Parce qu'il travaille
beaucoup. Il ne mange pas bien et ne
fait pas de sport.*

Il/Elle a de la fièvre : oui/non.
Il/Elle a mal *au dos et à la tête.*
Il/Elle dort bien : oui/non.
Combien de repas par jour ? *2*
Il/Elle fait du sport : oui/non.
Il/Elle boit assez d'eau : oui/non.

Conseils du médecin
– Prenez un petit déjeuner tous les
matins.
– Il faut se reposer, prendre des
vacances.
– Vous pouvez aller à la piscine, c'est
bon pour le dos.
– Il faut faire du sport si vous êtes
stressé.

Page 92

Préparation au DELF A1
Compréhension des écrits
1 vous donner une information. –
2 Continuer de prendre vos médicaments.
– **3** Dans 2 semaines. – **4** par téléphone. –
5 Le matin, entre 8 h et 12 h.

unité 10

Page 93

Grammaire **Activité 1**
a. 3 – **b.** 6 – **c.** 5 – **d.** 2 – **e.** 4 – **f.** 1

Activité 2
b. si vous mangez bien. – **c.** si vous
étudiez bien. – **d.** si vous vous entraînez.
– **e.** si vous participez aux cours. – **f.** si
vous avez le bon matériel.

Page 94
Activité 3
Nora : Salut Clarissa ! Je suis Nora, nous
avons été ensemble **pendant** deux ans
en licence de mathématiques !
Nora : J'étudie **toujours** les
mathématiques. Et toi ?
Clarissa : J'ai étudié l'économie
pendant deux ans et j'ai passé un
concours pour être professeur.
Nora : Ah ! J'ai pensé **longtemps** à
passer un concours. Mais **pendant**
mon master, j'ai découvert le métier de
chercheur.
Clarissa : Tu prépares **toujours** un
diplôme ?

Activité 4
Action à durée limitée : **a.** – **c.** – **d.** – **f.**
Action continue dans le présent : **b.** – **e.**

Communication
b. Jonas est inscrit à l'université
Jean Jaurès. Il étudie pour le plaisir
d'apprendre.
c. Lola est en master de chimie. Elle
étudie pour travailler en laboratoire.
d. Soraya est inscrite à l'université du
Québec à Laval. Elle étudie pour faire de
la recherche.
e. Bacary étudie le chinois pour pour son
travail.

Page 95

Vocabulaire **Activité 1**
Secrétaire : Bonjour ! Vous voulez
préparer quel **diplôme** ?
Secrétaire : Dans quelle **discipline** ?
Secrétaire : Alors, je vous donne le
dossier. Vous devez le remplir et le
remettre au **secrétariat** de sciences
sociales.
Étudiante : Et quand est-ce que j'ai la
liste des **professeurs** ?

Page 96
Activité 2
a. Tu peux déjeuner le midi au restaurant
universitaire.
b. Tu peux trouver des livres à la
bibliothèque.
c. Tu peux trouver Amélie au
département de langues étrangères.
d. Tu peux faire du sport au gymnase.
e. La salle de cours à côté du secrétariat
est l'amphithéâtre B.

Grammaire **Activité 1**
a. qui – **b.** que – **c.** qu' – **d.** qui – **e.** que

Page 97
Activité 2
a. 4 – **b.** 1 – **c.** 5 – **d.** 2 – **e.** 6 – **f.** 3

Activité 3
a. Je connais cet étudiant ! Il est **très**
sympa.
b. C'est un examen **assez** compliqué.
c. Je lis **un peu** et j'arrive !
d. La sociologie est une discipline **très**
large.
e. Je travaille **beaucoup** pour préparer
mon diplôme.
f. Marie parle **peu** quand elle est
stressée.

Activité 4
a. Je suis **très** content de mes résultats.
b. Il a passé une **très** bonne année.
c. Mon professeur enseigne **beaucoup** à l'étranger.
d. Le secrétaire du département est **très** rapide.
e. Il écrit **beaucoup** pour préparer son dossier.
f. C'est **très** important de parler des langues étrangères.

Page 98

Communication
Projet : **a. – c. – g.**
Compétence : **b. – d. – e. – f.**

Vocabulaire **Activité 1**
Direction → France Azevedo : directrice / Albert : secrétaire de direction
Service Comptabilité → Tatiana : responsable du service comptabilité / Jules : stagiaire
Service Ressources humaines → Angèle : responsable du service ressources humaines
Service Commercial → Kady : responsable du service commercial
Service Technique → Jacques : technicien

Page 99
Activité 2
a. secrétaire – **b.** stage – **c.** service – **d.** réunions – **e.** s'organiser / équipe

Phonétique **Activité 2**
= : **b. – e.**
≠ : **a. – c. – d. – f.**

Page 100
Activité 3
a. A<u>tt</u>en<u>t</u>ion pen<u>d</u>an<u>t</u> les vacances la biblio<u>th</u>èque ferme à 17 heures.
b. À gauche, nous <u>d</u>écouvrons l'a<u>d</u>minis<u>t</u>ra<u>t</u>ion puis le <u>d</u>épar<u>t</u>emen<u>t</u> de langues.
c. Si ma can<u>d</u>i<u>d</u>a<u>t</u>ure est accep<u>t</u>ée, je fais un doc<u>t</u>ora<u>t</u>.
d. <u>D</u>ans l'amphi<u>th</u>éâ<u>t</u>re Balzac, il y a <u>t</u>oujours les cours de li<u>tt</u>éra<u>t</u>ure.
e. Pour son <u>d</u>iplôme en mé<u>d</u>ecine, il est par<u>t</u>i à Nan<u>t</u>es.
f. L'archi<u>t</u>ec<u>t</u>e qui a <u>d</u>essiné ce s<u>t</u>a<u>d</u>e <u>t</u>ravaille à l'é<u>t</u>ranger.

Compréhension écrite
Vrai : **a. – b. – f.**
Faux : **c. – d. – e.**

Page 101

Production écrite
Proposition de corrigé :

12/06/2016
Professeur(e) de français (F/H)
Ville : Berlin
Salaire : 19 € par heure
Date de début : juin 2016

• Si vous avez un diplôme de FLE,
• Si vous avez de l'expérience dans l'enseignement,
• Si vous êtes libre 2 heures par semaine,

Compétences recherchées : Vous êtes diplômé(e) de lettres ou de FLE, vous aimez enseigner : vous êtes fait(e) pour me donner des cours de français !

Contact : Vous pouvez m'appeler au 0167 658 911 76 ou m'écrire à dieter.schulz@yahoo.de

Page 102

Détente

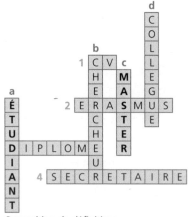

Proposition de définitions :
a. C'est une personne qui étudie.
c. C'est un diplôme qu'on obtient après 5 ans d'études.

unité 11

Page 103

Grammaire **Activité 1**
a. Les grandes villes sont plus polluées que les petites villes.
b. La campagne, c'est moins déprimant que la ville.

c. Les grandes villes proposent plus de loisirs.
d. En ville, on passe plus de temps dans les transports en commun.
e. À la campagne, les logements sont moins chers qu'en ville.

Activité 2
a. Salomé profite moins de la nature que Jules.
b. Baptiste est moins stressé par la ville que Margot.
c. La vie de Théo est plus calme que la vie de Ninon.
d. Jeanne prend plus les transports en commun que Léa.
e. Louis est plus proche de la nature que Lily.

Page 104
Activité 3
a. (à ton nouveau projet) 3 – **b.** (à votre rythme de vie) 4 – **c.** (à ta nouvelle vie) 1 – **d.** (à aller vivre à la campagne) 5 – **e.** (à tout quitter) 2.

Activité 4
a. J'y pense. – **b.** Nous y réfléchissons. – **c.** Il y croit. – **d.** Marie et Marc y font attention. – **e.** Vous y vivez.

Activité 5
a. Oui, j'y habite. – **b.** Non, nous n'y réfléchissons pas./je n'y réfléchis pas. – **c.** Non, elle n'y pense pas. – **d.** Oui, il y croit. – **e.** Oui, j'y réfléchis.

Page 105

Communication

Noemie64 : **J'en ai assez de** la ville. C'est trop déprimant. **Je me sens triste.**
Remi64 : Moi, la ville, **ce n'est pas mon truc ! J'ai décidé d'habiter** à la campagne !
Emilie13 : Bonjour Noémie, **j'ai déménagé** à la campagne il y a six mois. **Je ne regrette pas** mon choix.
Fabia64 : Bonjour ! Tout quitter, nous y avons réfléchi longtemps… Et puis, ma famille et moi **avons recommencé à zéro**. Maintenant, nous avons une belle maison avec un jardin. J'ai aussi changé de métier.

Page 106

Vocabulaire Activité 1

Liste des inconvénients : **Prix élevés** – **Pollution** – **Grisaille** – **Petit logement.**

Activité 2

Antoine est un **citadin**, il habite dans le **centre-ville** d'Amiens, dans le nord de la France. Il vit dans un **appartement**. Il travaille beaucoup et sa vie est très **stressante**. La grisaille du nord : c'est **déprimant** ! Antoine rêve de quitter la **ville** et de s'installer dans une **maison** avec un **jardin**. C'est plus **agréable** !

Page 107

Grammaire Activité 1

a. des – **b.** des – **c.** au – **d.** du – **e.** À la / des – **f.** à la / de la.

Activité 2

a. Jean-Lin élève des chèvres.
b. Marie fait de l'escalade.
c. Le jardinier s'occupe du jardin.
d. Arnaud et Clément sont allés à la pêche.
e. Tous les dimanches, nous jouons au basket.
f. Nous habitons au bord de la mer.

Activité 3

a. Nous jouons au foot avec **les mêmes** copains.
b. Ma cuisine est **aussi** grande **que** mon salon.
c. Nos chambres sont **pareilles**.
d. Louis et Salomé vont dans **la même** école.
e. La chambre de Noémie est **aussi** petite **que** la chambre de Christophe.

Page 108

Communication

a. 3 – **b.** 1 – **c.** 2
Proposition de corrigé :
Mode de vie de Léa : Léa habite à la campagne avec sa famille. Vivre dans une maison avec un grand jardin, c'est agréable. Elle passe la journée à s'occuper des chèvres. Ses enfants jouent au ballon. Son activité préférée, c'est le ski.

Page 109

Vocabulaire Activité 1

A : un lac → se baigner, pêcher, faire de la voile
B : la plage → se baigner, pêcher, faire de la voile
C : la montagne → faire de la randonnée, camper, faire du ski, faire de l'escalade
D : la forêt → faire de la randonnée, camper

Activité 2

a. skier – **b.** la bergère – **c.** le coiffeur – **d.** le chat

Activité 3

a. poule – **b.** chien – **c.** mouton – **d.** cheval – **e.** oiseau – **f.** lapin

Page 110

Phonétique Activité 2

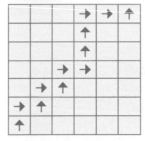

Activité 2

a. beaucoup – **b.** transports – **c.** campagne – **d.** ambiance – **e.** possible – **f.** publicité

Activité 3

a. Mon appartem**ent_à** Paris **est_au**ssi petit qu'un garage. = 2
b. Je v**eux_ha**biter dans une grande maison. = 1
c. J'**y_ai** réfléch**i_et** j'ai f**ait_un** choix. = 3
d. Mon am**ie_A**lice v**it_à** la campagne. = 2
e. Je v**eux_y_ha**biter m**oi_au**ssi. – = 3
f. Je vais pass**er_u**ne ann**ée_a**vec elle. = 2

Page 111

Compréhension orale

1 Les Franciliens – **2** 3 heures 30 – **3** stressant – **4** Travailler chez soi. – **5** Avec sa famille. – **6** Non, il n'y pense jamais. Il préfère son nouveau rythme de vie et sa nouvelle vie.

Production orale Jeux de rôle
Production libre

Page 112

Préparation au DELF A1

Compréhension de l'oral
Situation 1 : image **C** – Situation 2 : image **D** – Situation 3 : image **E** – Situation 4 : image **B** – Situation 5 : image **A**

unité 12

Page 113

Grammaire Activité 1

a. Mon ami Marc est français. Il ne me comprend pas toujours, mais il m'écoute.
b. Il m'écrit les mots en français.
c. Il te connaît aussi, il te parle tous les matins au café.
d. Regarde, il nous téléphone.
e. Il vous parle d'un concert ce soir.
f. Nous ne pouvons pas venir ! Demain notre professeur nous interroge.

Activité 2

a. Non, je ne t'invite pas.
b. Oui, le professeur nous corrige.
c. Non, il ne nous conseille pas de parler notre langue maternelle.
d. Oui, nous te téléphonons après le cours.
e. Oui, vous m'attendez demain matin.

Page 114

Activité 3

a. il y a – **b.** pendant / longtemps – **c.** de / à – **d.** En – **e.** en – **f.** Maintenant

Activité 4

a. la semaine prochaine – **b.** le mois prochain – **c.** dans deux jours – **d.** l'année prochaine – **e.** demain

Page 115

Communication

– Alors Pepito, tu vas toujours au cours de français ?
– Oui, **mais j'ai peur de prendre la** parole.
– Pourquoi ? **Tu t'exprimes** bien.
– Je suis timide. En classe, je suis **bloqué**.
– Courage ! Tu as **un bon niveau**.
– Je ne crois pas. J'ai du mal à m'exprimer, **j'ai des difficultés** pour lire.
– **Ne t'inquiète pas**, ça va aller !

Vocabulaire   Activité 1

a. Je prends la parole. – **b.** Je corrige un ami de mon cours. – **c.** Je pratique la langue. – **d.** Je m'exprime en français. – **e.** Je communique en français.

Page 116

Activité 2

Stratégies pour améliorer son français : **faire un échange linguistique / aller à une soirée polyglotte / regarder un film québécois en version originale**
Difficultés : **avoir du mal à s'exprimer / avoir un accent trop fort / s'inquiéter de son niveau**

Grammaire   Activité 1

Présent : **g.**
Passé : **a. – d.**
Futur proche : **c. – f.**
Impératif : **b. – e.**

Activité 2

a. Demain, je vais prendre le train. – **b.** Hier, Lili est venue à 3 h. – **c.** Demain, Lili va venir à 3 h. – **d.** Hier, vous êtes sorti(s) avec des amis. – **e.** Aujourd'hui, vous sortez avec des amis.

Page 117

Activité 3

Isabelle : Bonjour, nous **avons parlé** la semaine dernière des activités culturelles. Maintenant, **préparons** ensemble le programme précis !
Eléonore : D'accord. Moi, je **vais organiser** les soirées d'échanges linguistiques le mois prochain, les jeudi et vendredi soir.
Walter : Non, pas le vendredi soir, parce que dans deux semaines mon ciné-club **va commencer**.
Eléonore : Mais les soirées polyglottes **ont eu** beaucoup de succès le mois dernier : une seule par semaine, ce n'est pas suffisant !
Walter : Vous **ne comprenez pas** l'importance du cinéma !

Activité 4

a. l' – **b.** le – **c.** nous – **d.** l' – **e.** lui – **f.** la

Page 118

Communication

Proposition de corrigé :
Léandre : Oui, ça va bien ! **J'ai un grand projet : je compte ouvrir un café !**
Yasmine : **C'est vrai ? Intéressant !**
Léandre : Je vais travailler dans ce café aussi : je vais faire la cuisine. Je pense que c'est un beau métier, tu ne crois pas ?
Yasmine : **C'est vrai, tu as raison.**
Léandre : Est-ce que tu veux être serveuse dans mon café ?
Yasmine : **Ah non, pas du tout !**

Vocabulaire   Activité 1

kiosque à journaux / d'actualité / féminin / rubriques / vendeur / sportif

Page 119

Activité 2

Magazine culturel : cinéma / musique / littérature
Magazine féminin : cuisine / cinéma / littérature / musique
Magazine d'actualité : société / politique / cinéma / littérature / musique

Phonétique   Activité 1

[j] : **c.**
[w] : **a. – d. – g.**
[ɥ] : **b. – e. – f.**

Page 120

Activité 2

Antoine est un garçon tranquille. Dans ses loisirs, il cuisine. Il se débrouille bien. Il choisit des recettes compliquées, il réussit tout ! Il utilise l'huile d'olive, les fruits, mais pas les produits laitiers. Ses accessoires préférés sont le couteau, le fouet et la cuillère.
[w] = 5   [j] = 4   [ɥ] = 5

Activité 3

a. Le programme de la semaine.
b. Mon devoir est pour vendredi, pas pour samedi.
c. Je connais une famille francophone.
d. Je mange de la tarte à la poire.
e. À la librairie, je regarde une revue originale.

Compréhension écrite

1 utilisez internet.
2 Faites attention à la grammaire.
3 De vous corriger.
4 Une dictée sur Twitter.
5 a. un mot écrit plus court. – **b.** l'écriture correcte des mots.

Page 121

Production écrite

Proposition de corrigé :
Bonjour !
J'ai suivi un cours de français cette année et je l'ai beaucoup aimé. Nous avons communiqué en français dans la classe, regardé des vidéos et nous avons aussi fait des jeux. Pour améliorer mon français, j'ai fait un échange linguistique avec un étudiant français. L'année prochaine, je vais continuer les cours et je vais aller en France pour pratiquer.

Maquette intérieure : Isabelle Aubourg
Déclinaison de la maquette intérieure et mise en page : Sabine Beauvallet
Recherche iconographique : Audrey Lamy
Documents iconographiques : Dany Mourain
Illustrations : Eva Roussel (pp. 22, 23, 25, 26, 44, 45, 51, 64, 72, 74, 76, 78, 108, 109, 112), Julien Vernet (pp. 14, 15, 21, 24, 34, 36, 37, 3), Marygribouille (pp. 69, 83, 88)
Enregistrements, montage et mixage : Pierre Rochet – Studio Bund

éditions didier s'engagent pour l'environnement en réduisant l'empreinte carbone de leurs livres. Celle de cet exemplaire est de : **350 g éq. CO$_2$** Rendez-vous sur www.editionsdidier-durable.fr

PAPIER À BASE DE FIBRES CERTIFIÉES

© Les Editions Didier, Paris 2016
ISBN : 978-2-278-08361-9
Dépôt légal : 8361/10

Achevé d'imprimer en Italie
par Grafica Veneta (Trebaseleghe) en juillet 2019